CHINESE MADE EASY

1 Textbook

轻松学汉语（课本）

Yamin Ma
Xinying Li

UK/EUROPEAN Distributor: **CME Books Europe**
t: 0870 3830042 | f: 0207 1171709 | e: sales@cme4europe.co.uk | w: cme4europe.co.uk

漢 chinese.made.easy
cme books europe | www.cme4europe.co.uk

Chinese Made Easy (*Textbook 1*)

Yamin Ma, Xinying Li

Editor	Chen Cuiling
Art design	Arthur Y. Wang, Yamin Ma, Xinying Li
Cover design	Arthur Y. Wang, Amanda Wu
Graphic design	Amanda Wu
Typeset	Feng Zhengguang, Amanda Wu

Published by
JOINT PUBLISHING (H.K.) CO., LTD.
Rm. 1304, 1065 King's Road, Quarry Bay, Hong Kong

Distributed by
SUP PUBLISHING LOGISTICS (HK) LTD.
3/F, 36 Ting Lai Road, Tai Po, N.T., Hong Kong

First published July 2001
Ninth impression December 2005

UK/EUROPEAN Distributor: CME Books Europe
t: 0870 3830042 | f: 0207 1171709 | e: sales@cme4europe.co.uk | w: cme4europe.co.uk
漢 chinese.made.easy

轻松学汉语 (课本一)

编　著　马亚敏　李欣颖

责任编辑	陈翠玲
美术策划	王　宇　马亚敏　李欣颖
封面设计	王　宇　吴冠曼
版式设计	吴冠曼
排　版	冯政光　吴冠曼

出　版	三联书店（香港）有限公司
	香港鲗鱼涌英皇道1065号1304室
发　行	香港联合书刊物流有限公司
	香港新界大埔汀丽路36号3字楼
印　刷	彩图柯式印刷有限公司
	香港柴湾新业街11号8楼
版　次	2001年7月香港第一版第一次印刷
	2005年12月香港第一版第九次印刷
规　格	特8开 (210 x 297mm) 136面
国际书号	ISBN 962 · 04 · 2026 · 8

©2001 三联书店（香港）有限公司

Authors' Acknowledgments

We are grateful to all the following people who have helped us to put the books into publication:

- The English Schools Foundation and the Senior Management Team of Island School, Hong Kong, who have had faith in us and have supported us in our search for suitable textbooks for schools in the international context
- Those students in Year 7, 8 and 9 Mandarin classes (Island School) who used our books during the trial period and gave us valuable feedback
- Mrs. Marion John, Head of Modern Foreign Languages of Island School, who edited our English and has been a great support in our endeavour to write our own textbooks
- Our publisher, 李昕, 陈翠玲 who trusted our ability and expertise in the field of Mandarin teaching and learning, and supported us during the period of publication
- Arthur Y. Wang, 万琼, 高燕, 张慧华, 于霆, 郭奇, Annie Wang for their creativity, skill and hard work in the design of art pieces. Without Arthur Y. Wang's guidance and artistic insight, the books would not have been so beautiful and attractive
- Professor Zhang Pengpeng who inspired us with his unique and stimulating insight into a possible new approach to Chinese language teaching and learning
- 朱落燕, 陈琦, 陈毓敏, 胡丽娟 who proof read the manuscript and gave us valuable suggestions and advice
- Arthur Y. Wang and Tony Zhang who assisted the authors with the sound recording
- Our family members who have always supported and encouraged us to pursue our research and work on this series. Without their continual and generous support, we would not have had the energy and time to accomplish this project

INTRODUCTION

■ The series of *Chinese Made Easy* consists of 5 books, designed to emphasize the development of communication skills in listening, speaking, reading and writing. The primary goal of this series is to help the learners use Chinese to exchange information and to communicate their ideas. The unique characteristic of this series is the use of the Communicative Approach adopted in teaching Chinese as a foreign language. This approach also takes into account the differences between Chinese and Romance languages, in that the written characters in Chinese are independent of their pronunciation.

■ The whole series is a two-level course: level 1 – Book 1, 2 and 3; and level 2 – Book 4 and 5. All the textbooks are in colour and the accompanying workbooks and teacher's books are in black and white.

COURSE DESIGN

■ The textbook covers texts and grammar with particular emphasis on listening and speaking. The style of texts varies according to the content. Grammatical rules are explained in note form, followed by practice exercises. There are several listening and speaking exercises for each lesson.

■ The textbook plays an important role in helping students develop oral communication skills through oral tasks, such as dialogues, questions and answers, interviews, surveys, oral presentations, etc. At the same time, the teaching of characters and character formation are also incorporated into the lessons. Vocabulary in earlier books will appear again in later books to reinforce memory.

■ The workbook contains extensive reading materials and varied exercises to support the textbook.

■ The teacher's book provides keys to the exercises in both textbook and workbook, and it also provides extra listening comprehension exercises and games. In the teacher's book, there is a set of tests for each unit, testing four language skills: listening, speaking, reading and writing.

Level 1:

■ Book 1 includes approximately 250 new characters, and Book 2 and Book 3 contain approximately 300 new characters each. There are 5 units in each textbook, and 3-5 lessons in each unit. Each lesson introduces 20-25 new characters.

■ In order to establish a solid foundation for character learning, the primary focus for Book 1 is the teaching of radicals (unit 1), character writing and character formation. Simple and independent characters are introduced through short rhymes in unit 2 to unit 5.

■ Book 2 and 3 continue the development of communication skills, as well as introducing China, its culture and customs through three pieces of simple texts in each unit.

Level 2:

■ Book 4 and 5 each includes approximately 350 new characters. There are 4 units in the textbook and 3 lessons in each unit. Each lesson introduces about 30 new characters.

■ The topics covered in Book 4 and 5 are contemporary in nature, and are interesting and relevant to the students' experience.

■ The listening and speaking exercises in Book 4 and 5 take various forms, and are carefully designed to reflect the real Chinese speaking world. The students are provided with various speaking opportunities to use the language in real situations.

- Reading texts in various formats and of graded difficulty levels are provided in the workbook, in order to reinforce the learning of vocabulary, grammar and sentence structure.

- Dictionary skills are taught in Book 4, as we believe that the students at this stage should be able to use the dictionary to extend their learning skills and become independent learners of Chinese.

- To ensure a smooth transition, some pinyin is still provided in Book 4 and a lesser amount in Book 5. We believe that the students at this stage still need the support of pinyin when doing oral practice.

- Writing skills are reinforced in Book 4 and 5. The writing task usually follows a reading text, so that the text will serve as a model for the students' own reproduction of the language.

- Extensive reading materials with an international flavour is included in the workbook. Students are exposed to Chinese language, culture and traditions through authentic texts.

COURSE LENGTH

- Books 1, 2 and 3 each covers approximately 100 hours of class time, and Books 4 and 5 might need more time, depending on how the book is used and the ability of students. Workbooks contain extensive exercises for both class and independent learning. The five books are continuous and ongoing, so they can be taught within any time span.

HOW TO USE THIS BOOK

Here are a few suggestions from the authors:

- The teacher should emphasize the importance of helping the students to develop both listening and speaking skills, whilst teaching radicals as the foundation for character writing. The students should be able to recognize and write from memory all the 54 radicals in unit 1. Students are expected to recognize all the characters in the vocabulary list, whilst trying their best to memorize the characters from the short rhymes in unit 2 to unit 5.

- The teacher should go over the phonetics exercises in the textbook with the students. The authors believe that with sufficient input, the students will gradually be able to pick up the pronunciation and intonation naturally. Accurate pronunciation is not the main focus of this course; rather the students should learn to use the language functionally for communication purposes.

- The teacher should demonstrate the stroke order of each character to total beginners. The authors found character writing to be a fun and interesting activity for youngsters.

- There is a wide variety of exercises in the workbook, for both classwork and homework. At the end of each unit, there is a section that contains a vocabulary summary, a revision section and a unit test paper. Teachers are free to add any supplementary materials, or skip certain exercises, depending on their students' level.

- The text for each lesson, the listening comprehension and rhymes are on the CD attached to the textbook. The symbol indicates the track number. For example, CD1 T1 is track one.

Yamin Ma
February, 2001 Hong Kong

CONTENTS 目 录

生词：New Words

❶	nǐ 你	you
❷	hǎo 好	good; well
	nǐ hǎo 你 好	hello
❸	nín 您	you (respectfully)
	nín hǎo 您 好	hello
❹	zǎo 早	early; morning
	nǐ zǎo 你 早	good morning
	nín zǎo 您 早	good morning (respectfully)
❺	zài 再	again
❻	jiàn 见 (見)	see
	zài jiàn 再 见	good-bye

1 🔊 Read aloud.

(1) 你 nǐ   (4) 好 hǎo

(2) 早 zǎo   (5) 您 nín

(3) 再见 zàijiàn

2 Match the Chinese with the English.

(1) 你 nǐ   (a) good; well

(2) 好 hǎo   (b) you

(3) 您 nín   (c) again

(4) 早 zǎo   (d) you (respectfully)

(5) 再 zài   (e) see

(6) 见 jiàn   (f) early; morning

(7) 你好 nǐ hǎo   (g) good-bye

(8) 你早 nǐ zǎo   (h) good morning

(9) 再见 zài jiàn   (i) hello

3 Fill in the bubbles with the captions in the box.

(a) 您好！ nín hǎo   (b) 你好！ nǐ hǎo   (c) 再见！ zài jiàn

你好！

4 🔊 Read aloud.

VOWELS:

a	o	e
i	u	ü

(1) mā   má   mǎ   mà

(2) mō   mó   mǒ   mò

(3) mī   mí   mǐ   mì

偏旁部首（一）

1. sleeping person 每
2. standing person 你
3. stretching person 今
4. two people 很
5. father 爸
6. king 现
7. soil 地
8. scholar 喜
9. mountain 岁

CD T2

生词：New Words

1 ma 吗(嗎) — particle

nǐ hǎo ma 你好吗 — how are you

2 bù 不 — not; no

3 cuò 错(錯) — mistake; bad

bú cuò 不错 — not bad

4 hái 还(還) — also; fairly

5 kě 可 — can; may

6 yǐ 以 — use; take

kě yǐ 可以 — can; pretty good

hái kě yǐ 还可以 — OK; pretty good

7 wǒ 我 — I; me

8 hěn 很 — very; quite

hěn hǎo 很好 — very good; very well

9 xiè 谢(謝) — thank

xiè xie 谢谢 — thanks

10 ne 呢 — particle

nǐ ne 你呢 — how about you

11 yě 也 — also; as well

---

1 🔊 Read aloud.

nǐ hǎo
(1) 你好!

hái kě yǐ
(6) 还可以。

zài jiàn
(2) 再见!

xiè xie
(7) 谢谢。

nǐ zǎo
(3) 你早!

nǐ ne
(8) 你呢?

nín zǎo
(4) 您早!

wǒ yě hěn hǎo
(9) 我也很好。

bú cuò
(5) 不错。

nǐ hǎo ma
(10) 你好吗?

2 Match the Chinese with the English.

wǒ
(1) 我 — (a) very well

hěn hǎo
(2) 很好 — (b) I; me

nǐ hǎo ma
(3) 你好吗? — (c) not bad

bú cuò
(4) 不错 — (d) How are you?

hái kě yǐ
(5) 还可以 — (e) How about you?

yě
(6) 也 — (f) hello

nǐ ne
(7) 你呢? — (g) thanks

nín hǎo
(8) 您好 — (h) good-bye

xiè xie
(9) 谢谢 — (i) also

zài jiàn
(10) 再见 — (j) pretty good

3 Translation.

Hello! Hello!

Good-bye! Good-bye!

Hello! Hello!

Good morning! Good morning!

4 Match the words in column A with the ones in column B.

A
(1)	bú 不
(2)	hěn 很
(3)	nǐ 你
(4)	nín 您
(5)	hái 还
(6)	zài 再
(7)	xiè 谢

B
(a)	hǎo 好
(b)	zǎo 早
(c)	kě yǐ 可以
(d)	ne 呢
(e)	xie 谢
(f)	cuò 错
(g)	jiàn 见

5 🔊 Read aloud.

CONSONANTS (1):

b p m f
d t n l

(1)	bā	bá	bǎ	bà
(2)	pō	pó	pǒ	pò
(3)	dī	dí	dǐ	dì
(4)	fū	fú	fǔ	fù
(5)	lā	lá	lǎ	là

偏旁部首（二）

1 忄 feeling 快

2 心 heart 您

3 口 mouth 叫

4 羊 sheep 美

5 足 foot 路

6 讠 speech 说

7 钅 metal 错

8 饣 food 饭

9 纟 silk 级

第三课　你是我的好朋友

CD T3

yī èr sān ， sān èr yī ，
一 二 三 ， 三 二 一 ，

yī èr sān sì wǔ liù qī 。
一 二 三 四 五 六 七 。

bā jiǔ shí ， shí bā jiǔ ，
八 九 十 ， 十 八 九 ，

nǐ shì wǒ de hǎo péng you 。
你 是 我 的 好 朋 友 。

1 CD T4 Listen to the recording. Circle the number you hear.

	(a)	(b)	(c)
(1)	qī 七	**bā 八**	jiǔ 九
(2)	èr 二	sān 三	wǔ 五
(3)	liù 六	sì 四	sān 三
(4)	èr 二	jiǔ 九	shí 十
(5)	sān 三	yī 一	sì 四
(6)	sì 四	qī 七	èr 二

生词：New Words

1. shì 是　be
2. de 的　of; 's
   wǒ de 我的　my; mine
3. péng 朋　friend
4. yǒu 友　friend
   péng you 朋友　friend
5. yī 一　one
6. èr 二　two
7. sān 三　three
8. sì 四　four
9. wǔ 五　five
10. liù 六　six
11. qī 七　seven
12. bā 八　eight
13. jiǔ 九　nine
14. shí 十　ten

2 🔊 Read aloud.

(1) sān shí bā 三十八

(2) èr shí sì 二十四

(3) jiǔ shí liù 九十六

(4) wǔ shí 五十

(5) liù shí yī 六十一

(6) jiǔ shí jiǔ 九十九

(7) bā shí sì 八十四

(8) qī shí sān 七十三

(9) sān shí èr 三十二

(10) sì shí wǔ 四十五

3 🔊 Read aloud the following telephone numbers.

Mary	2674 3815
John	9433 1006
David	5426 7180
Tom	5647 2290
Ann	6321 0054

4 🔊 Tongue Twisters.

shí shì shí
十 是 十,

sì shì sì
四 是 四。

shí sì shì shí sì
十 四 是 十 四,

sì shí shì sì shí
四 十 是 四 十。

5 🔊 Read aloud the numbers in Chinese.

What is your favourite number?

My favourite number is 96017485994372.

6   What are they saying to each other?

1

你好！

2

3

4

7   Translation.

(1) nǐ de
你的_____ your _____

(2) wǒ de
我的_____

(3) péng you de
朋友的_____

(4) wǒ de hǎo péng you de
我的好朋友的_____

8   🔊 Read aloud.

CONSONANTS (2):

	g	k	h	
(1)	gē	gé	gě	gè
(2)	kē	ké	kě	kè
(3)	hū	hú	hǔ	hù
(4)	gū	gú	gǔ	gù

9   Work out how old the child is. Write his age in Chinese.

When my father was 35, I was 6. Now he is twice as old as I am. How old am I?

AGE:_____

偏旁部首（三）

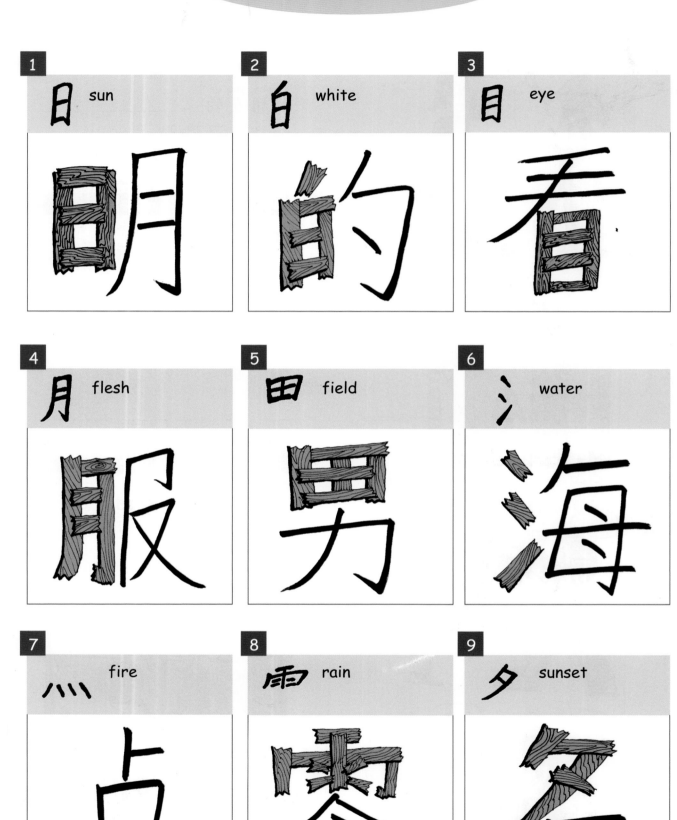

1 日 sun — 明

2 白 white — 的

3 目 eye — 看

4 月 flesh — 服

5 田 field — 男

6 氵 water — 海

7 灬 fire — 点

8 雨 rain — 零

9 夕 sunset — 客

1

2001年10月
8
星期一

jīn tiān shì jǐ yuè jǐ hào
A: 今天是几月几号？

jīn tiān shì shí yuè bā hào
B: 今天是十月八号。

jīn tiān xīng qī jǐ
A: 今天星期几？

jīn tiān xīng qī yī
B: 今天星期一。

2

2001年10月
7
星期日

zuó tiān shì jǐ yuè jǐ hào
A: 昨天是几月几号？

zuó tiān shì shí yuè qī hào
B: 昨天是十月七号。

zuó tiān xīng qī jǐ
A: 昨天星期几？

zuó tiān xīng qī rì
B: 昨天星期日。

3

míng tiān jǐ hào
A: 明天几号？

jiǔ hào
B: 九号。

xīng qī jǐ
A: 星期几？

xīng qī èr
B: 星期二。

2001年10月
9
星期二

生词：New Words

① jīn 今	today; now	
② tiān 天	sky; day	
jīn tiān 今天	today	
③ jǐ 几(幾)	how many	
④ yuè 月	the moon; month	
jǐ yuè 几月	which month	
shí yuè 十月	October	
⑤ hào 号(號)	number; date	
jǐ hào 几号	what date	
bā hào 八号	the 8th	

⑥ xīng 星	star	
⑦ qī 期	a period of time	
xīng qī 星期	week	
xīng qī yī 星期一	Monday	
xīng qī jǐ 星期几	what day of the week	
⑧ zuó 昨	yesterday	
zuó tiān 昨天	yesterday	
⑨ rì 日	sun; day	
xīng qī rì tiān 星期日／天	Sunday	
⑩ míng 明	bright; clear	
míng tiān 明天	tomorrow	

1 🔊 Read aloud.

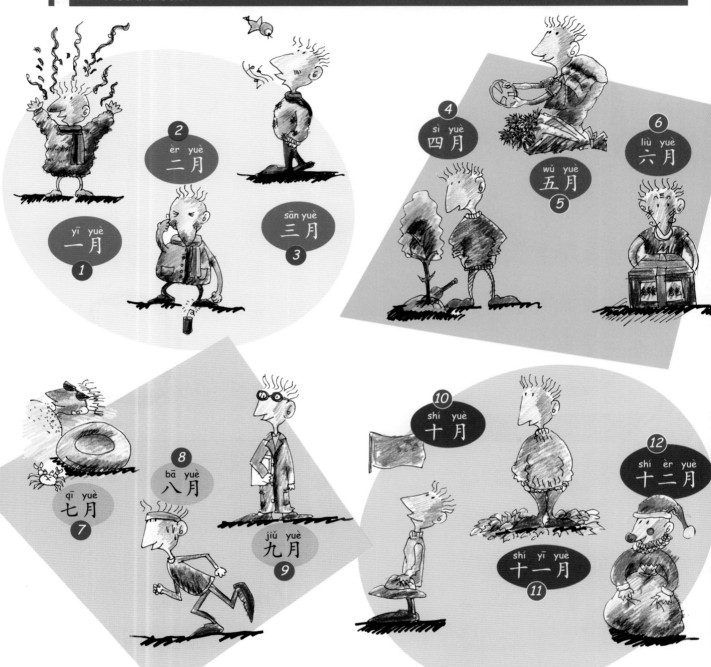

2 Match the Chinese with the English.

qī yuè liù hào
(1) 七月六号   (a) October 1

yī yuè yī hào
(2) 一月一号   (b) May 1

shí yuè yī hào
(3) 十月一号   (c) July 6

wǔ yuè yī hào
(4) 五月一号   (d) January 1

3 🔊 Read aloud the numbers in Chinese.

(1)	9	(5)	36
(2)	6	(6)	20
(3)	81	(7)	18
(4)	44	(8)	57

4 🔊 Read aloud.

1
xīng qī yī
星期一

2
xīng qī èr
星期二

3
xīng qī sān
星期三

4
xīng qī sì
星期四

5
xīng qī wǔ
星期五

6
xīng qī liù
星期六

7
xīng qī rì
星期日

5 Match the Chinese with the English.

xīng qī liù
(1) 星期六   (a) Monday

xīng qī sì
(2) 星期四   (b) Saturday

xīng qī yī
(3) 星期一   (c) Tuesday

xīng qī rì
(4) 星期日   (d) Sunday

xīng qī èr
(5) 星期二   (e) Friday

xīng qī wǔ
(6) 星期五   (f) Thursday

6 🔊 Read aloud.

CONSONANTS (3):

	j	q	x
(1)	jī	jí	jǐ	jì
(2)	qī	qí	qǐ	qì
(3)	xī	xí	xǐ	xì
(4)	jū	qú	xǔ	xù

7 Match the Chinese with the English.

(1) shí yī yuè 十一月 ——— (a) October

(2) jiǔ yuè 九月 (b) December

(3) yī yuè 一月 (c) August

(4) bā yuè 八月 ——— (d) November

(5) wǔ yuè 五月 (e) March

(6) sì yuè 四月 (f) July

(7) èr yuè 二月 (g) January

(8) qī yuè 七月 (h) September

(9) shí èr yuè 十二月 (i) February

(10) liù yuè 六月 (j) April

(11) sān yuè 三月 (k) June

(12) shí yuè 十月 (l) May

8 Finish the dialogue in Chinese.

八月			August			
星期日	星期一	星期二	星期三	星期四	星期五	星期六
	今天		1	2	3	4
5	6	7	8	9	10	11
12	13	14	15	(16)	17	18
19	20	21	22	23	24	25
26	27	28	29	30	31	

jīn tiān shì jǐ yuè jǐ hào
A: 今天是几月几号？

B: 今天是八月十六号_____。

jīn tiān xīng qī jǐ
A: 今天星期几？

B: _____。

zuó tiān shì jǐ yuè jǐ hào
A: 昨天是几月几号？

B: _____。

míng tiān xīng qī jǐ
A: 明天星期几？

B: _____。

9 Say the dates in Chinese.

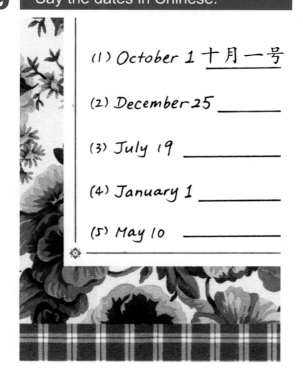

(1) October 1 十月一号

(2) December 25 _____

(3) July 19 _____

(4) January 1 _____

(5) May 10 _____

10 Answer the following questions.

jīn tiān shì jǐ yuè jǐ hào
(1) 今天是几月几号？
xīng qī jǐ
星期几？

zuó tiān shì jǐ yuè jǐ hào
(2) 昨天是几月几号？
xīng qī jǐ
星期几？

míng tiān shì jǐ yuè jǐ hào
(3) 明天是几月几号？
xīng qī jǐ
星期几？

偏旁部首（四）

1 厂 cliff
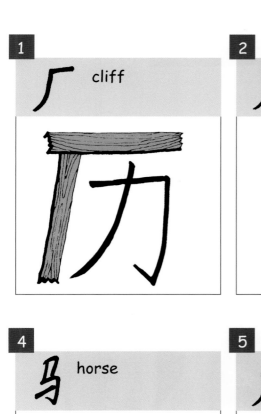

2 广 shelter

3 舟 boat

4 马 horse

5 力 strength

6 扌 hand

7 刂 knife
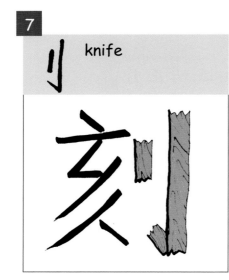

8 子 son
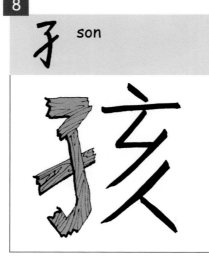

9 弓 bow
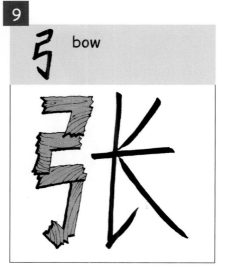

第五课 你叫什么名字

A: 她姓什么？
tā xìng shén me

B: 她姓马。
tā xìng mǎ

A: 他姓什么？
tā xìng shén me

B: 他姓李。
tā xìng lǐ

A: 我叫王月。
wǒ jiào wáng yuè

你叫什么名字？
nǐ jiào shén me míng zi

B: 我叫李山。
wǒ jiào lǐ shān

生词：New Words

①	jiào 叫	call
②	shén me 什么(麼)	what
③	míng 名	name
④	zì 字	character; word
	míng zi 名字	(given) name
⑤	tā 她	she; her
⑥	xìng 姓	surname
⑦	mǎ 马(馬)	horse; surname
⑧	tā 他	he; him
⑨	lǐ 李	plum; surname
⑩	wáng 王	king; surname
⑪	shān 山	mountain

1 🔊 Read aloud.

(1) 朋友　　péngyou

(2) 名字　　míngzi

(3) 什么　　shénme

(4) 姓　　　xìng

(5) 还可以　hái kěyǐ

(6) 不错　　búcuò

(7) 再见　　zàijiàn

(8) 谢谢　　xièxie

2 Answer the questions.

David Smith　　1

tā xìng shén me
A: 他 姓 什么？

B: 他 姓 Smith 。

tā jiào shén me míng zi
A: 他 叫 什么 名字？

B: 他 叫 David 。

2　　lǐ tiān yī 李天一

tā xìng shén me
A: 她 姓 什么？

B: ＿＿＿＿＿＿＿ 。

tā jiào shén me míng zi
A: 她 叫 什么 名字？

B: ＿＿＿＿＿＿＿ 。

Mohammed Patel　　3

tā xìng shén me
A: 他 姓 什么？

B: ＿＿＿＿＿＿＿ 。

tā jiào shén me míng zi
A: 他 叫 什么 名字？

B: ＿＿＿＿＿＿＿ 。

Jimmy King　　4

tā xìng shén me
A: 他 姓 什么？

B: ＿＿＿＿＿＿＿ 。

tā jiào shén me míng zi
A: 他 叫 什么 名字？

B: ＿＿＿＿＿＿＿ 。

3 Match the question with the answer.

(1) nǐ hǎo ma
你好吗？
(2) nǐ jiào shén me míng zi
你叫什么名字？
(3) tā xìng shén me
他姓什么？
(4) nǐ péng you jiào shén me míng zi
你朋友叫什么名字？
(5) tā xìng shén me
她姓什么？

(a) wǒ jiào wáng yuè
我叫王月。
(b) hái kě yǐ
还可以。
(c) tā jiào lǐ shān
他叫李山。
(d) tā xìng lǐ
他姓李。
(e) tā xìng mǎ
她姓马。

4 Ask a question for each answer.

(1) A: 你姓什么？
wǒ xìng mǎ
B: 我姓马。

(2) A: _____？
tā jiào lǐ shān
B: 他叫李山。

(3) A: _____？
wǒ hěn hǎo
B: 我很好。_____？
wǒ yě hěn hǎo
A: 我也很好。

5 🎧 CD T7 Listen to the recording. Write down the telephone numbers.

(1) 2763 8019
(2) _____
(3) _____
(4) _____
(5) _____
(6) _____

6 🎧 Read aloud.

CONSONANTS (4):

zh ch sh r

(1) zhī	zhí	zhǐ	zhì
(2) chī	chí	chǐ	chì
(3) shī	shí	shǐ	shì
(4) rè	rì	rù	

偏旁部首（五）

1 木 tree; wood — 机

2 禾 crops — 和

3 艹 grass — 英

4 ⺮ bamboo — 笔

5 大 big — 太

6 小 small — 尖

7 辶 movement — 还

8 阝 ear — 那

9 立 stand — 亲

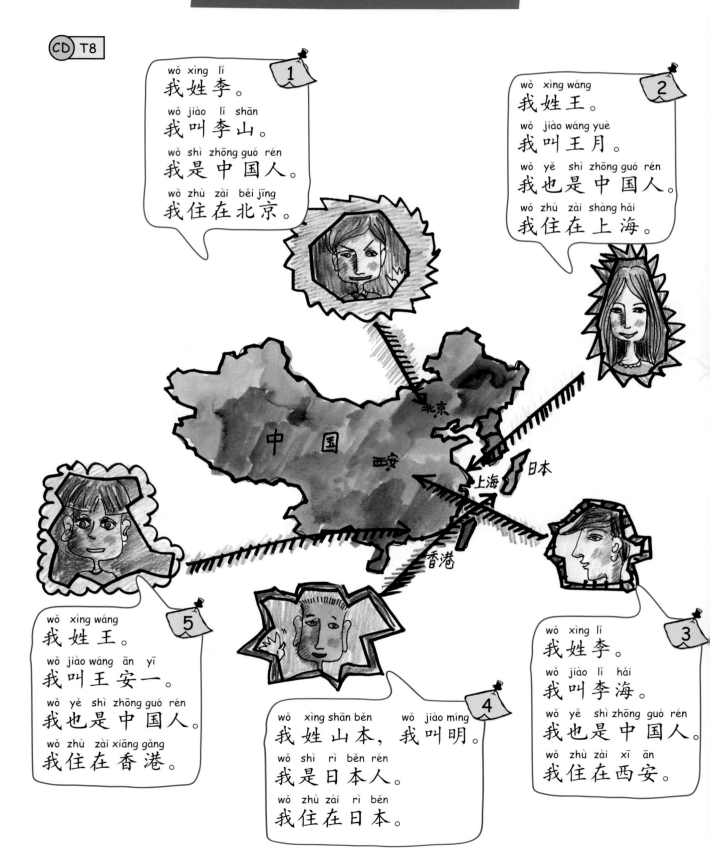

Answer the questions.

1

lǐ shān shì nǎ guó rén
李山是哪国人?
tā zhù zài nǎr
她住在哪儿?

2

wáng yuè shì nǎ guó rén
王月是哪国人?
tā zhù zài nǎr
她住在哪儿?

3

lǐ hǎi shì nǎ guó rén
李海是哪国人?
tā zhù zài nǎr
他住在哪儿?

4

shān běn míng shì nǎ guó rén
山本明是哪国人?
tā zhù zài nǎr
他住在哪儿?

5

wáng ān yī shì nǎ guó rén
王安一是哪国人?
tā zhù zài nǎr
她住在哪儿?

生词：New Words

❶	zhù 住	live; reside		❾	jīng 京	capital	běi jīng 北京 Beijing
❷	zài 在	in; on		❿	shàng 上	up; previous; attend	
❸	nǎ 哪	which; what		⓫	hǎi 海	sea	shàng hǎi 上海 Shanghai
❹	ér 儿(兒)	child; son 哪儿 nǎr where		⓬	xī 西	west	
❺	zhōng 中	middle; centre		⓭	ān 安	safe	xī ān 西安 Xi'an
❻	guó 国(國)	country; kingdom		⓮	běn 本	root; origin	
	zhōng guó 中国	China			rì běn 日本	Japan	rì běn rén 日本人 Japanese
❼	rén 人	person; people		⓯	xiāng 香	fragrant	
	zhōng guó rén 中国人	Chinese		⓰	gǎng 港	harbour	xiāng gǎng 香港 Hong Kong
❽	běi 北	north		⓱	nǎ guó rén 哪国人	what nationality	

1 Find the places on the map. Write the numbers in the blanks.

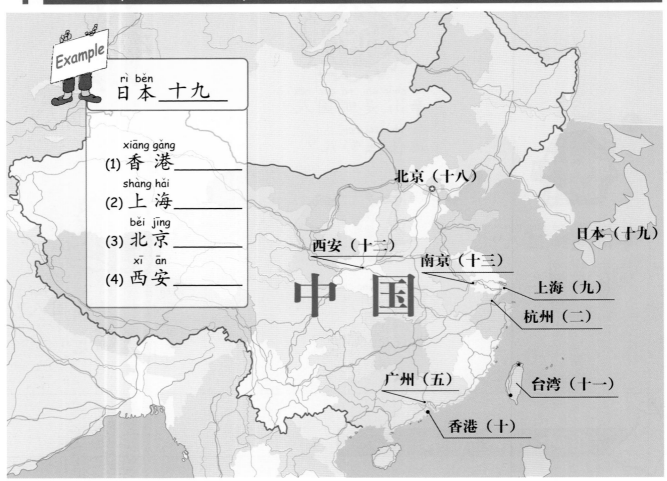

Example

rì běn
日本 __十九__

xiāng gǎng
(1) 香 港 _____

shàng hǎi
(2) 上 海 _____

běi jīng
(3) 北 京 _____

xī ān
(4) 西安 _____

北京（十八）

日本（十九）

西安（十二）   南京（十三）

中 国

上海（九）

杭州（二）

广州（五）   台湾（十一）

香港（十）

2 Match the Chinese with the English.

zhōng guó
(1) 中 国

běi jīng
(2) 北京

rì běn
(3) 日 本

xī ān
(4) 西安

shàng hǎi
(5) 上 海

xiāng gǎng
(6) 香 港

nǎ guó rén
(7) 哪国人

nǎr
(8) 哪儿

(a) Japan

(b) Xi'an

(c) China

(d) Hong Kong

(e) what nationality

(f) Beijing

(g) where

(h) Shanghai

3 Finish the dialogues in Chinese.

nǐ zhù zài nǎr
(1) A: 你住在哪儿？

B: 我住在北京。

tā zhù zài nǎr
(2) A: 他住在哪儿？

B: _____

nǐ shì nǎ guó rén
(3) A: 你是哪国人？

B: _____

tā zhù zài nǎr
(4) A: 她住在哪儿？

B: _____

běi jīng
北京

shàng hǎi
上 海

zhōng guó rén
中 国 人

xiāng gǎng
香 港

4 (CD) T9   Listen to the recording. Circle the right answer.

1

tā xìng
他 姓 ＿＿＿。

sān běn
(a) 三 本

lǐ
(b) 李

tā shì
他 是 ＿＿＿。

rì běn rén
(a) 日 本 人

shàng hǎi rén
(b) 上 海 人

tā zhù zài
他 住 在 ＿＿＿。

shàng hǎi
(a) 上 海

běi jīng
(b) 北 京

2

tā xìng
他 姓 ＿＿＿。

mǎ
(a) 马

lǐ
(b) 李

tā shì
他 是 ＿＿＿。

běi jīng rén
(a) 北 京 人

shàng hǎi rén
(b) 上 海 人

tā zhù zài
他 住 在 ＿＿＿。

xiāng gǎng
(a) 香 港

xī ān
(b) 西 安

 3

tā shì
她 是 ＿＿＿。

xiāng gǎng rén
(a) 香 港 人

rì běn rén
(b) 日 本 人

tā zhù zài
她 住 在 ＿＿＿。

běi jīng
(a) 北 京

xī ān
(b) 西 安

 **4**

tā shì
他 是 ＿＿＿。

xī ān rén
(a) 西 安 人

běi jīng rén
(b) 北 京 人

tā zhù zài
他 住 在 ＿＿＿。

shàng hǎi
(a) 上 海

xiāng gǎng
(b) 香 港

5   Say two sentences for each picture.

Example

rì běn rén
日 本 人

shàng hǎi
上 海

tā shì rì běn rén
她 是 日 本 人。

tā zhù zài shàng hǎi
她 住 在 上 海。

 **1**

shàng hǎi rén
上 海 人

xī ān
西 安

 **2**

rì běn rén
日 本 人

běi jīng
北 京

 3

xiāng gǎng rén
香 港 人

shàng hǎi
上 海

 **4**

zhōng guó rén
中 国 人

rì běn
日 本

6   🔊 Read aloud.

CONSONANTS (5):

z	c	s	y	w
(1) zī	zǐ	zì		
(2) cī	cí	cǐ	cì	
(3) sī	sǐ	sì		
(4) yī	yí	yǐ	yì	
(5) wū	wú	wǔ	wù	

7 Answer the questions.

Example

tā shì rì běn rén
她是日本人。

日本

tā shì nǎ guó rén
她是哪国人？

香港

1 tā zhù zài nǎr
他住在哪儿？

西安

4 tā zhù zài nǎr
她住在哪儿？

北京

3 tā zhù zài nǎr
她住在哪儿？

2 tā shì nǎ guó rén
他是哪国人？

中国

8 🔊 Read aloud.

(1)	nǎr 哪儿	(6)	xiāng gǎng 香港
(2)	nǎ guó rén 哪国人	(7)	shàng hǎi 上海
(3)	zhù 住	(8)	rì běn 日本
(4)	zài 在	(9)	péng you 朋友
(5)	zài jiàn 再见	(10)	bú cuò 不错

9 Translation.

1

What is your nationality?

I am Japanese.

How are you?

2

Fine, thanks. And you?

偏旁部首（六）

1 又 again

2 欠 owe

3 方 square
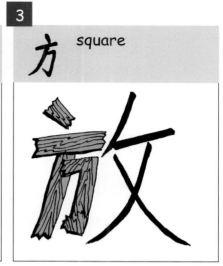

4 女 female
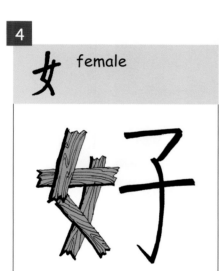

5 冖 roof without chimney
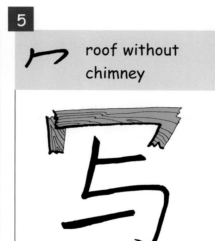

6 宀 roof with chimney
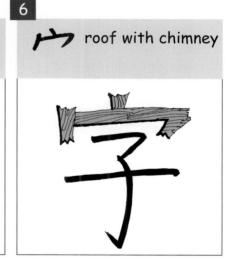

7 冂 border

8 门 door

9 囗 enclosure

第二单元　一家人

第七课　这是我的一家

1. wǒ 我　　2. nǐ 你　　3. tā men 他们

4. tā 他　　5. tā 她　　6. wǒ men 我们　　7. wǒ men yì jiā rén 我们一家人

① zhè shì wǒ mā ma
这是我妈妈。

② zhè shì wǒ
这是我。

③ zhè shì wǒ mèi mei
这是我妹妹。

④ zhè shì wǒ dì di
这是我弟弟。

⑤ zhè shì wǒ bà ba
这是我爸爸。

A: zhè shì shuí
这是谁？

B: zhè shì wǒ jiě jie
这是我姐姐。

A: tā shì shuí
他是谁？

B: tā shì wǒ bà ba
他是我爸爸。

A: tā shì shuí
她是谁？

B: tā shì wǒ mā ma
她是我妈妈。

A: tā shì shuí
他是谁？

B: tā shì wǒ gē ge
他是我哥哥。

A: zhè shì shuí
这是谁？

B: zhè shì wǒ
这是我。

① jiě jie
姐姐

② bà ba
爸爸

③ mā ma
妈妈

④ gē ge
哥哥

⑤ wǒ
我

生词: New Words

❶	zhè 这(這)	this
❷	jiā 家	family; home
	yì jiā rén 一家人	one family
❸	men 们(們)	plural suffix
	tā men 他们	they; them
	wǒ men 我们	we; us
❹	mā ma 妈妈(媽)	mum; mother

❺	mèi mei 妹妹	younger sister
❻	dì di 弟弟	younger brother
❼	bà ba 爸爸	dad; father
❽	shuí 谁(誰)	who
❾	jiě jie 姐姐	elder sister
❿	gē ge 哥哥	elder brother

1 Choose a caption for each picture.

wǒ (a)我	nǐ (b)你	tā (c)他	tā (d)她	wǒ men (e)我们	nǐ men (f)你们	tā men (g)他们

2 CD T11 Listen to the recording. Tick the words you hear.

(1) bà ba
爸爸 ✓

(2) mā ma
妈妈

(3) gē ge
哥哥

(4) jiě jie
姐姐

(5) dì di
弟弟

(6) mèi mei
妹妹

3 🔊 Read aloud.

(1) 哥哥 gēge

(8) 弟弟 dìdi

(2) 家 jiā

(9) 名字 míngzi

(3) 妈妈 māma

(10) 谁 shuí

(4) 爸爸 bàba

(11) 妹妹 mèimei

(5) 不错 búcuò

(12) 海 hǎi

(6) 姐姐 jiějie

(13) 我们 wǒmen

(7) 谢谢 xièxie

(14) 明天 míngtiān

4 Match the Chinese with the English.

(1) péng you
朋友

(a) we

(2) yì jiā rén
一家人

(b) you

(3) tā men
他们

(c) one family

(4) nǐ men
你们

(d) he

(5) wǒ men
我们

(e) friend

(6) tā
他

(f) they

5 🔊 Read aloud.

DIPHTHONGS:

(1) ai ei ui

(2) ao ou iu

(3) ie üe er

(4) an en in un ün

(5) ang eng ing ong

天天练
Speaking Practice

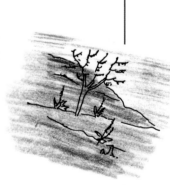

Read aloud.

yī yuè	èr yuè	sān yuè	sì yuè	wǔ yuè	liù yuè
一月	二月	三月	四月	五月	六月

qī yuè	bā yuè	jiǔ yuè	shí yuè	shí yī yuè	shí èr yuè
七月	八月	九月	十月	十一月	十二月

6 Finish the dialogues in Chinese.

Example

A: tā shì shuí
她是谁？

B: tā shì wǒ mā ma
她是我妈妈。
(my mother)

1
A: tā shì shuí
她是谁？

B: _____。
(my younger sister)

2
A: tā shì shuí
她是谁？

B: _____。
(my elder sister)

3
A: _____？

B: tā shì wǒ bà ba
他是我爸爸。

4
A: _____？

B: tā shì wǒ jiě jie
她是我姐姐。

5
A: zhè shì shuí
这是谁？

B: _____。
(my elder brother)

6
A: _____？

B: tā shì wǒ mā ma
她是我妈妈。

7
A: _____？

B: zhè shì wǒ
这是我。

7 CD T12 Listen to the recording. Circle the right answer.

1
zhè shì wǒ gē ge
(a)这是我哥哥。
zhè shì wǒ dì di
(b)这是我弟弟。

2
tā xìng wáng   tā zhù zài shàng hǎi
(a)她姓王。她住在上海。
tā xìng mǎ   tā zhù zài běi jīng
(b)她姓马。她住在北京。

3
tā xìng wáng   tā shì zhōng guó rén
(a)他姓王。他是中国人。
tā xìng shān běn   tā shì rì běn rén
(b)他姓山本。他是日本人。

4
tā shì rì běn rén   tā zhù zài xī ān
(a)她是日本人。她住在西安。
tā shì shàng hǎi rén   tā zhù zài xiāng gǎng
(b)她是上海人。她住在香港。

8 Translation.

This is my father.
1

2 This is my elder sister.

This is my mother.
6

3 This is me.

This is my elder brother.
5

4
This is my younger brother.

识 字 (一)  CD T13

zhōng guó dà
中 国 大，
rén kǒu duō
人 口 多，
fāng yán duō
方 言 多，
lì shǐ cháng
历 史 长。

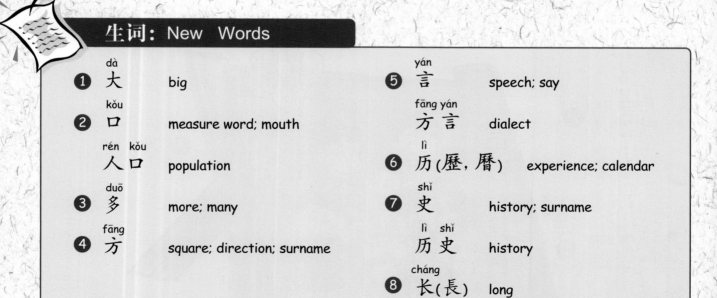

生词: New Words

1. dà 大 — big
2. kǒu 口 — measure word; mouth
   rén kǒu 人口 — population
3. duō 多 — more; many
4. fāng 方 — square; direction; surname
5. yán 言 — speech; say
   fāng yán 方言 — dialect
6. lì 历(歷,曆) — experience; calendar
7. shǐ 史 — history; surname
   lì shǐ 历史 — history
8. cháng 长(長) — long

第八课　他家有七口人

1 CD T14

nà shì tā gē ge
那是他哥哥。
5

nà shì tā jiě jie
那是他姐姐。
6

nà shì tā bà ba
那是他爸爸。
4

nà shì tā mā ma
7 那是他妈妈。

zhè shì tā xiǎo dì di
这是他小弟弟。
3

zhè shì tā dà dì di
这是他大弟弟。
2

zhè shì lǐ ān
这是李安。
1

2

zhè shì lǐ ān de yì jiā   tā jiā
这是李安的一家。他家

yǒu qī kǒu rén   tā men shì bà ba   mā
有七口人，他们是爸爸、妈

ma   yí ge gē ge   yí ge jiě jie   liǎng
妈、一个哥哥、一个姐姐、两

ge dì di hé tā   tā men shì yīng guó
个弟弟和他。他们是英国

rén   tā men zhù zài yīng guó
人。他们住在英国。

Answer the questions.

lǐ ān jiā yǒu jǐ kǒu rén
(1) 李安家有几口人？

tā yǒu jǐ ge xiōng dì jiě mèi
(2) 他有几个兄弟姐妹？

tā yǒu méi yǒu mèi mei
(3) 他有没有妹妹？

tā yǒu jǐ ge dì di
(4) 他有几个弟弟？

tā men shì nǎ guó rén
(5) 他们是哪国人？

tā men zhù zài nǎr
(6) 他们住在哪儿？

生词: New Words

1. yǒu 有 — have; there is

2. qī kǒu rén 七口人 — seven members in the family

3. dà dì di 大弟弟 — big younger brother

4. xiǎo 小 — small; little
   xiǎo dì di 小弟弟 — little younger brother

5. nà 那 — that

6. gè 个(個) — measure word (general)
   yí ge gē ge 一个哥哥 — one elder brother

7. liǎng 两(兩) — two (used before a measure word)
   liǎng ge dì di 两个弟弟 — two younger brothers

8. hé 和 — and

9. yīng 英 — hero
   yīng guó 英国 — Britain
   yīng guó rén 英国人 — the British

10. jǐ kǒu rén 几口人 — how many members in the family

11. xiōng 兄 — elder brother
    xiōng dì jiě mèi 兄弟姐妹 — brothers and sisters

12. méi 没 — no
    méi yǒu 没有 — not have; there is not

---

1 Match the pictures with the words.

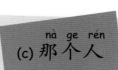

(a) zhè ge rén 这个人   (b) nà 那   (c) nà ge rén 那个人   (d) zhè 这

2 🔊 Read aloud.

(1) 号　hào

(2) 早　zǎo

(3) 小　xiǎo

(4) 个　gè

(5) 和　hé

(6) 哥　gē

(7) 这　zhè

(8) 弟　dì

(9) 几　jǐ

(10) 两　liǎng

(11) 大　dà

(12) 那　nà

(13) 明天　míngtiān

(14) 英国　yīngguó

(15) 昨天　zuótiān

(16) 妹妹　mèimei

(17) 没有　méiyǒu

(18) 口　kǒu

NOTE

gè　kǒu

"个""口" are measure words.

nǐ jiā yǒu jǐ kǒu rén
(a) A: 你家有几口人?

　　How many people are there in your

　　family?

wǔ kǒu rén
　　B: 五口人。　　Five people.

wǒ yǒu liǎng ge dì di
(b) 我有两个弟弟。

I have two younger brothers.

3 Say in Chinese.

1 爸爸
father

2
mother

3
elder sister

4
younger sister

5
elder brother

6
younger brother

4 Ask a question for each answer.

(1) A: 他有几个妹妹?

tā yǒu liǎng ge mèi mei
B: 他有两个妹妹。

(2) A: _____?

tā jiā yǒu sì kǒu rén
B: 她家有四口人。

(3) A: _____?

wǒ yǒu yí ge dì di
B: 我有一个弟弟。

(4) A: _____?

wǒ yǒu sì ge xiōng dì jiě mèi
B: 我有四个兄弟姐妹。

5 Answer the questions in Chinese.

bà ba
爸爸

dà jiě
大姐

mā ma
妈妈

gē ge
哥哥

èr jiě
二姐

xiǎo shān
小山

dì di
弟弟

xiǎo shān jiā yǒu jǐ kǒu rén
(1) 小山家有几口人?

xiǎo shān yǒu jǐ ge xiōng dì jiě mèi
(2) 小山有几个兄弟姐妹?

xiǎo shān yǒu jǐ ge gē ge
(3) 小山有几个哥哥?

xiǎo shān yǒu jǐ ge jiě jie
(4) 小山有几个姐姐?

xiǎo shān yǒu mèi mei ma
(5) 小山有妹妹吗?

xiǎo shān yǒu jǐ ge dì di
(6) 小山有几个弟弟?

6 Bring a family photo. Make a similar dialogue with your partner.

tā shì shuí
A: 她是谁?

tā shì wǒ mā ma
B: 她是我妈妈。

zhè ge rén shì shuí
A: 这个人是谁?

zhè shì wǒ
B: 这是我。

nà ge rén shì shuí
A: 那个人是谁?

nà ge rén shì wǒ
B: 那个人是我

bà ba
爸爸。

wǒ
我

mā ma
妈妈

bà ba
爸爸

天天练
Speaking Practice

Read aloud.

wǔ yuè qī hào   wǔ yuè qī rì
(1) 五月七号 = 五月七日

jiǔ yuè shí èr hào   jiǔ yuè shí èr rì
(2) 九月十二号 = 九月十二日

shí èr yuè èr shí wǔ hào   shí èr yuè èr shí wǔ rì
(3) 十二月二十五号 = 十二月二十五日

yī yuè yī hào   yī yuè yī rì
(4) 一月一号 = 一月一日

7 Ask questions in another way.

Example

tā shì nǐ gē ge ma
他是你哥哥吗？

tā shì bú shì nǐ gē ge
他是不是你哥哥？

zhè shì nǐ dì di ma
(1) 这是你弟弟吗？

nà shì nǐ de péng you ma
(2) 那是你的朋友吗？

nǐ shì yīng guó rén ma
(3) 你是英国人吗？

nǐ yǒu gē ge ma
(4) 你有哥哥吗？

nǐ yǒu xiōng dì jiě mèi ma
(5) 你有兄弟姐妹吗？

nǐ yǒu jiě jie ma
(6) 你有姐姐吗？

NOTE

nà shì nǐ jiě jie ma
1. 那是你姐姐吗？

Is that your elder sister?

You can also ask by saying:

nà shì bú shì nǐ jiě jie
那是不是你姐姐？

nǐ yǒu dì di ma
2. 你有弟弟吗？

Do you have any younger brothers?

You can also ask by saying:

nǐ yǒu méi yǒu dì di
你有没有弟弟？

8 Answer the following questions.

nǐ jiā yǒu jǐ kǒu rén
(1) 你家有几口人？

nǐ yǒu méi yǒu xiōng dì jiě mèi
(2) 你有没有兄弟姐妹？

nǐ yǒu jǐ ge xiōng dì jiě mèi
(3) 你有几个兄弟姐妹？

nǐ yǒu méi yǒu gē ge
(4) 你有没有哥哥？

nǐ yǒu jiě jie ma
(5) 你有姐姐吗？

nǐ yǒu dì di ma
(6) 你有弟弟吗？

nǐ yǒu mèi mei ma
(7) 你有妹妹吗？

9 Read aloud.

b p m f

(1) ba	pa	ma	fa
(2) ban	pan	man	fan
(3) ben	pen	men	fen
(4) bei	pei	mei	fei
(5) bàba	pǎobù	māma	fěnbǐ
(6) bǐfēn	pīngpāng	mèimei	fèipǐn

10 Read the following dialogues. Make your own with your partner.

1

A: wáng xīng yǒu gē ge ma
王星有哥哥吗?

B: yǒu yí ge
有一个。

A: tā yǒu dì di ma
他有弟弟吗?

B: méi yǒu
没有。

wáng xīng
王星

2

A: lǐ fāng jiā yǒu jǐ kǒu rén
李方家有几口人?

B: liù kǒu rén
六口人。

A: tā jiā yǒu shuí
她家有谁?

B: tā jiā yǒu bà ba mā ma
她家有爸爸、妈妈、
gē ge jiě jie dì di hé
哥哥、姐姐、弟弟和
tā
她。

lǐ fāng
李方

3

A: ān an yǒu méi yǒu jiě jie
安安有没有姐姐?

B: yǒu
有。

A: tā yǒu jǐ ge jiě jie
她有几个姐姐?

B: liǎng ge
两个。

ān an
安安

识 字 （二）

CD T15

ěr　kǒu　shǒu
耳　口　手，
yì　qí　yòng
一　齐　用。
quán　shēn　xīn
全　身　心，
xué　zhōng　wén
学　中　文。

生词：New Words

1 ěr 耳　ear

2 shǒu 手　hand

3 qí 齐(齊)　in order; together; surname

　　 yì qí 一齐　together

4 yòng 用　use

5 quán 全　whole

6 shēn 身　body

7 xīn 心　heart; mind

　　 shēn xīn 身心　body and mind

8 xué 学(學)　study

9 wén 文　word; literature

　　 zhōng wén 中文　the Chinese language

第九课　我爸爸工作，我妈妈也工作

CD T16

zhè shì wǒ de yì jiā　　wǒ jiā yǒu sì kǒu rén　　tā men shì bà ba　　mā ma　　yí

这是我的一家。我家有四口人，他们是爸爸、妈妈、一

ge mèi mei hé wǒ　　wǒ shí èr suì　　wǒ mèi mei qī suì　　wǒ shì zhōng xué shēng　　wǒ mèi

个妹妹和我。我十二岁，我妹妹七岁。我是中学生，我妹

mei shì xiǎo xué shēng　　wǒ bà ba gōng zuò　　wǒ mā ma yě gōng

妹是小学生。我爸爸工作，我妈妈也工

xiǎo yīng

小英

zuò　　wǒ men shì yīng guó rén　　wǒ men zhù zài xiāng gǎng

作。我们是英国人。我们住在香港。

生词：New Words

1 工 (gōng) work

2 作 (zuò) do; work

工作 (gōng zuò) work

3 岁 (歲) (suì) year of age

十二岁 (shí èr suì) twelve years old

4 生 (shēng) bear; grow　学生 (xué sheng) student

中学生 (zhōng xué shēng) secondary school student

小学生 (xiǎo xué shēng) primary school student

5 了 (le) particle

6 几岁 (jǐ suì) how old (age under ten)

多大 (duō dà) how old (age over ten)

Answer the questions.

xiǎo yīng yì jiā yǒu jǐ kǒu rén
(1) 小英一家有几口人？

xiǎo yīng jiā yǒu shuí
(2) 小英家有谁？

xiǎo yīng yǒu méi yǒu jiě jie
(3) 小英有没有姐姐？

xiǎo yīng duō dà le
(4) 小英多大了？

tā mèi mei jǐ suì le
(5) 她妹妹几岁了？

xiǎo yīng shì zhōng xué shēng ma
(6) 小英是中学生吗？

xiǎo yīng de bà ba gōng zuò ma
(7) 小英的爸爸工作吗？

xiǎo yīng yì jiā shì nǎ guó rén
(8) 小英一家是哪国人？

tā men yì jiā rén zhù zài nǎr
(9) 他们一家人住在哪儿？

1 Circle the correct pinyin.

(1) 学生   (a) shuíshēng   (b)xuésheng   (5) 英国   (a) yínguó   (b) yīngguó

(2) 工作   (a) gōngzuò   (b) gōngzhuò   (6) 两   (a) lǎng   (b) liǎng

(3) 多大   (a) dōu dà   (b) duō dà   (7) 没有   (a) méiyǒu   (b) méiyuǒ

(4) 几岁   (a) jǐ suì   (b) jǐ shuì   (8) 和   (a) hě   (b) hé

2 Match the sentence with the appropriate question word.

wǒ jiě jie shí bā suì le
(1) 我姐姐十八岁了。

wǒ gē ge èr shí suì le
(2) 我哥哥二十岁了。

duō dà
多大

wáng yuè shí wǔ suì le
(3) 王月十五岁了。

jǐ suì
几岁

xiǎo yīng shí èr suì le
(4) 小英十二岁了。

wǒ dì di jiǔ suì le
(5) 我弟弟九岁了。

tā mā ma sān shí jiǔ suì le
(6) 他妈妈三十九岁了。

tā bà ba sì shí èr suì le
(7) 他爸爸四十二岁了。

tā gē ge wǔ suì le
(8) 她哥哥五岁了。

wǒ de péng you shí sān suì le
(9) 我的朋友十三岁了。

tā de péng you qī suì le
(10) 她的朋友七岁了。

NOTE

nǐ jǐ suì le
1. A: 你几岁了？
How old are you?

wǒ liù suì le
B: 我六岁了。
I am six years old.

The person is usually under ten years old.

nǐ duō dà le
2. A: 你多大了？
How old are you?

wǒ èr shí liù suì le
B: 我二十六岁了。
I am twenty-six years old.

The person is usually over ten years old.

3 Make new dialogues according to the information given.

tā jǐ suì le
A: 她几岁了？

tā wǔ suì le
B: 她五岁了。

tā shì xiǎo xué shēng ma
A: 她是小学生吗？

shì
B: 是。

tā shì nǎ guó rén
A: 她是哪国人？

tā shì rì běn rén
B: 她是日本人。

wǔ suì
五岁
xiǎo xué shēng
小学生
rì běn rén
日本人

1
liù suì
六岁
xiǎo xué shēng
小学生
zhōng guó rén
中国人

2
shí èr suì
十二岁
zhōng xué shēng
中学生
yīng guó rén
英国人

3
shí suì
十岁
xiǎo xué shēng
小学生
zhōng guó rén
中国人

4
sān shí sān suì
三十三岁
gōng zuò
工作
rì běn rén
日本人

5
jiě jie   bā suì
姐姐：八岁
dì di   liù suì
弟弟：六岁
xiǎo xué shēng
小学生
rì běn rén
日本人

6
liù shí liù suì
六十六岁
gōng zuò
工作
zhōng guó rén
中国人

4 Match the question with the answer.

nǐ shì zhōng xué shēng ma
(1) 你是中学生吗?

tā gōng zuò ma
(2) 他工作吗?

nǐ duō dà le
(3) 你多大了?

nǐ yǒu jiě jie ma
(4) 你有姐姐吗?

tā shì shuí
(5) 他是谁?

tā jiā yǒu jǐ kǒu rén
(6) 他家有几口人?

nǐ jǐ suì le
(7) 你几岁了?

tā shì nǎ guó rén
(8) 他是哪国人?

wǒ shí bā suì le
(a) 我十八岁了。

wǒ méi yǒu jiě jie
(b) 我没有姐姐。

wǒ bú shì zhōng xué shēng
(c) 我不是中学生。

tā jiā yǒu sān kǒu rén
(d) 他家有三口人。

tā shì rì běn rén
(e) 他是日本人。

wǒ bā suì le
(f) 我八岁了。

tā shì wǒ bà ba
(g) 他是我爸爸。

tā gōng zuò
(h) 他工作。

5 🎧 Read aloud.

d t n l

(1)	da	ta	na	la
(2)	dao	tao	nao	lao
(3)	ding	ting	ning	ling
(4)	dang	tang	nang	lang

(5) dìtiě tiělù niúnǎi lántú

(6) dǎléi táitóu nántīng lóutī

天天练
Speaking Practice

Say the dates in Chinese.

(1) August 7 ___八月七号___

(2) July 1 _____

(3) October 1 _____

(4) December 25 _____

(5) February 28 _____

6 Interview your partner with the following questions.

(1) 你家有几口人？ *nǐ jiā yǒu jǐ kǒu rén*

(2) 你家有谁？ *nǐ jiā yǒu shuí*

(3) 你是哪国人？ *nǐ shì nǎ guó rén*

(4) 你多大了？ *nǐ duō dà le*

(5) 你是中学生吗？ *nǐ shì zhōng xué shēng ma*

(6) 你爸爸工作吗？ *nǐ bà ba gōng zuò ma*

(7) 你妈妈工作吗？ *nǐ mā ma gōng zuò ma*

(8) 你们一家人住在哪儿？ *nǐ men yì jiā rén zhù zài nǎr*

7 〔CD〕T17 Listen to the recording. Circle the right answer.

1

(1) 我是＿＿＿。(a)西安人 (b)上海人 *wǒ shì ... xī ān rén ... shàng hǎi rén*

(2) 我家有＿＿＿。(a)四口人 (b)五口人 *wǒ jiā yǒu ... sì kǒu rén ... wǔ kǒu rén*

(3) 他们是爸爸、妈妈、两个＿＿＿和我。(a)哥哥 (b)姐姐 *tā men shì bà ba mā ma liǎng ge ... hé wǒ ... gē ge ... jiě jie*

(4) 我一个哥哥是＿＿＿，(a)中学生 (b)大学生 *wǒ yí ge gē ge shì ... zhōng xué shēng ... dà xué shēng*
一个哥哥是＿＿＿。(a)中学生 (b)大学生 *yí ge gē ge shì ... zhōng xué shēng ... dà xué shēng*

(5) 我也是＿＿＿。(a)中学生 (b)小学生 *wǒ yě shì ... zhōng xué shēng ... xiǎo xué shēng*

(6) 我＿＿＿。(a)十三岁 (b)十四岁 *wǒ ... shí sān suì ... shí sì suì*

(7) 我爸爸＿＿＿，(a)工作 (b)不工作 *wǒ bà ba ... gōng zuò ... bù gōng zuò*
我妈妈＿＿＿。(a)工作 (b)不工作 *wǒ mā ma ... gōng zuò ... bù gōng zuò*

2

(1) 我是＿＿＿。(a)中国人 (b)日本人 *wǒ shì ... zhōng guó rén ... rì běn rén*

(2) 我家有＿＿＿。(a)三口人 (b)四口人 *wǒ jiā yǒu ... sān kǒu rén ... sì kǒu rén*

(3) 我是＿＿＿。(a)中学生 (b)小学生 *wǒ shì ... zhōng xué shēng ... xiǎo xué shēng*

(4) 我＿＿＿。(a)十一岁 (b)十二岁 *wǒ ... shí yī suì ... shí èr suì*

(5) 我爸爸＿＿＿，(a)三十九岁 (b)二十九岁 *wǒ bà ba ... sān shí jiǔ suì ... èr shí jiǔ suì*
我妈妈＿＿＿。(a)三十五岁 (b)三十四岁 *wǒ mā ma ... sān shí wǔ suì ... sān shí sì suì*

(6) 我爸爸＿＿＿，(a)工作 (b)不工作 *wǒ bà ba ... gōng zuò ... bù gōng zuò*
我妈妈也＿＿＿。(a)工作 (b)不工作 *wǒ mā ma yě ... gōng zuò ... bù gōng zuò*

识字（三）

shuǐ　huǒ　tǔ,
水　火　土，

rì　yuè　tián
日　月　田。

shān　lǐ　mù,
山　里　木，

yún　zhōng　tiān
云　中　天。

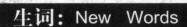

生词：New Words

1	shuǐ 水	water	**5**	lǐ 里(裡，裏)	inside
				shān lǐ 山里	in the mountains
2	huǒ 火	fire			
3	tǔ 土	soil	**6**	mù 木	tree; wood
4	tián 田	field; surname	**7**	yún 云(雲)	cloud

47

dà shān
大山

第十课　我上五年级

CD T19

zhè shì wǒ de yì jiā　　wǒ jiā yǒu liù kǒu
这是我的一家。我家有六口

rén　　bà ba　　　mā ma　　liǎng ge gē ge　　　yí ge
人：爸爸、妈妈、两个哥哥、一个

jiě jie hé wǒ　　wǒ dà gē jīn nián èr shí suì　　shì
姐姐和我。我大哥今年二十岁，是

dà xué shēng　èr gē jīn nián shí qī suì　　shì zhōng xué
大学生。二哥今年十七岁，是中学

shēng　wǒ jiě jie jīn nián shí suì　shàng liù nián jí　　wǒ
生。我姐姐今年十岁，上六年级。我

jīn nián jiǔ suì　　shàng wǔ nián jí　　wǒ men dōu shì xiǎo
今年九岁，上五年级。我们都是小

xué shēng　wǒ bà ba　　mā ma dōu gōng zuò　　wǒ men
学生。我爸爸、妈妈都工作。我们

yì jiā rén zhù zài xiāng gǎng
一家人住在香港。

Answer the questions.

dà shān de yì jiā yǒu jǐ kǒu rén
(1) 大山的一家有几口人？

tā jiā yǒu shuí
(2) 他家有谁？

tā yǒu jǐ ge jiě jie
(3) 他有几个姐姐？

tā yǒu méi yǒu gē ge
(4) 他有没有哥哥？

tā dà gē jīn nián duō dà le
(5) 他大哥今年多大了？

tā shì dà xué shēng ma
(6) 他是大学生 吗？

tā jiě jie jīn nián jǐ suì le
(7) 他姐姐今年几岁了？

tā shàng jǐ nián jí
(8) 她上几年级？

dà shān jīn nián jǐ suì le
(9) 大山今年几岁了？

tā shàng jǐ nián jí
(10) 他上几年级？

dà shān de bà ba　　　mā ma dōu gōng
(11) 大山的爸爸、妈妈都工

zuò ma
作吗？

tā men yì jiā rén zhù zài nǎr
(12) 他们一家人住在哪儿？

生词：New Words

1. nián 年 year　　jīn nián 今年 this year
2. jí 级(級) grade　　nián jí 年级 grade; year　　shàng wǔ nián jí 上五年级 in Grade 5
3. dà gē 大哥　　eldest brother
4. dà xué shēng 大学生 university student
5. èr gē 二哥　　second eldest brother
6. dōu 都　　all; both

1 🔊 Read aloud.

(1) 学生　xuésheng

(2) 年级　niánjí

(3) 都　dōu

(4) 上学　shàngxué

(5) 九岁　jiǔsuì

(6) 工作　gōngzuò

(7) 两　liǎng

(8) 多大　duō dà

(9) 谁　shuí

(10) 今年　jīnnián

2 Match the question with the answer.

(1) lǐ ān jīn nián jǐ suì le 李安今年几岁了？

(2) nǐ jiā yǒu jǐ kǒu rén 你家有几口人？

(3) nǐ jiā yǒu shuí 你家有谁?

(4) nǐ yǒu méi yǒu xiōng dì jiě mèi 你有没有兄弟姐妹?

(5) nǐ de péng you jīn nián duō dà le 你的朋友今年多大了？

(6) tā jīn nián shàng jǐ nián jí 她今年上几年级?

(7) tā yǒu jǐ ge jiě jie 他有几个姐姐?

(a) wǒ jiā yǒu bà ba mā ma hé wǒ 我家有爸爸、妈妈和我。

(b) wǒ méi yǒu xiōng dì jiě mèi 我没有兄弟姐妹。

(c) lǐ ān jīn nián liù suì le 李安今年六岁了。

(d) wǒ jiā yǒu wǔ kǒu rén 我家有五口人。

(e) tā jīn nián shàng shí nián jí 她今年上十年级。

(f) wǒ de péng you jīn nián shí liù suì 我的朋友今年十六岁。

(g) tā yǒu liǎng ge jiě jie 他有两个姐姐。

3 Listen to the recording. Circle the right answer.

1

(1) 海英今年____，(a) 十二岁 (b) 十三岁
hǎi yīng jīn nián ⓐshí èr suì shí sān suì

上中学____。(a) 一年级 (b) 二年级
shàng zhōng xué yì nián jí èr nián jí

(2) 她有一个____。(a) 姐姐 (b) 妹妹
tā yǒu yí ge jiě jie mèi mei

(3) 她妹妹今年____，(a) 八岁 (b) 十岁
tā mèi mei jīn nián bā suì shí suì

上小学____。(a) 三年级 (b) 四年级
shàng xiǎo xué sān nián jí sì nián jí

(4) 她爸爸、妈妈____工作。(a) 也 (b) 都
tā bà ba mā ma gōng zuò yě dōu

(5) 她们一家人是____。(a) 北京人 (b) 上海人
tā men yì jiā rén shì běi jīng rén shàng hǎi rén

(6) 他们住在____。(a) 上海 (b) 西安
tā men zhù zài shàng hǎi xī ān

2

(1) 他们是两____。(a) 兄妹 (b) 姐妹
tā men shì liǎng xiōng mèi jiě mèi

(2) 哥哥今年____，(a) 九岁 (b) 六岁
gē ge jīn nián jiǔ suì liù suì

上小学____。(a) 四年级 (b) 五年级
shàng xiǎo xué sì nián jí wǔ nián jí

(3) 妹妹今年____，(a) 六岁 (b) 五岁
mèi mei jīn nián liù suì wǔ suì

上小学____。(a) 一年级 (b) 二年级
shàng xiǎo xué yì nián jí èr nián jí

(4) 他们____是小学生。(a) 也 (b) 都
tā men shì xiǎo xué shēng yě dōu

(5) 他们的爸爸、妈妈____工作。(a) 都 (b) 也
tā men de bà ba mā ma gōng zuò dōu yě

4 Read aloud.

g k h

(1) ge   ke   he   (5) gēge   kǎigē   hégé

(2) gai   kai   hai   (6) gǎikǒu kāikǒu   hǎokàn

(3) gong   kong   hong

(4) gua   kua   hua   (7) guóhuà kǎohé   hǎigǎng

5 CD T21 Listen to the recording. Circle the right answer.

tā jiā yǒu
(1) 他家有＿＿＿＿。

wǔ kǒu rén　　　sān kǒu rén　　　sì kǒu rén
(a)五口人　(b)三口人　(c)四口人

tā bà ba　　mā ma
(2) 他爸爸、妈妈＿＿＿＿。

dōu gōng zuò　　dōu bù gōng zuò　　gōng zuò
(a)都工作　(b)都不工作　(c)工作

tā jiě jie jīn nián
(3) 他姐姐今年＿＿＿＿。

shí bā suì　　shí liù suì　　bā suì
(a)十八岁　(b)十六岁　(c)八岁

tā shàng
(4) 她上＿＿＿＿。

wǔ nián jí　　liù nián jí　　shí sān nián jí
(a)五年级　(b)六年级　(c)十三年级

tā shàng
(5) 他上＿＿＿＿。

zhōng xué　　xiǎo xué　　dà xué
(a)中学　(b)小学　(c)大学

tā men yì jiā rén zhù zài
(6) 他们一家人住在＿＿＿＿。

shàng hǎi　　xī ān　　běi jīng
(a)上海　(b)西安　(c)北京

6 Fill in the blanks with the words in the box.

yě　　dōu
也　　都

lǐ shān shì běi jīng rén　　mǎ běn shān　　shì běi jīng rén
(1) 李山是北京人，马本山也 是北京人。

wǒ bà ba gōng zuò　　wǒ mā ma　　gōng zuò
(2) 我爸爸工作，我妈妈＿＿＿工作。

tā gē ge　　jiě jie　　shì dà xué shēng
(3) 她哥哥、姐姐＿＿＿是大学生。

tā dì di bā suì　　wǒ dì di　　bā suì
(4) 她弟弟八岁，我弟弟＿＿＿八岁。

tā bà ba　　mā ma　　shì yīng guó rén
(5) 他爸爸、妈妈＿＿＿是英国人。

lǐ míng yì jiā zhù zài běi jīng　　wáng yún yì jiā　　zhù zài běi jīng
(6) 李明一家住在北京，王云一家＿＿＿住在北京。

天天练
Speaking Practice

Ask your classmates the following question. Write the birthday down for each person.

lǐ shān　　nǐ de shēng ri shì jǐ yuè jǐ hào
李山：你的生日是几月几号？

wáng yuè　　wǒ de shēng ri shì liù yuè shí sì hào
王月：我的生日是六月十四号。

xìng míng 姓名	shēng ri 生日
王月	六月十四号

tā bú zài jiā
(1) 他不在家。

tā jiā méi yǒu rén
(2) 他家没有人。

xiāng gǎng shì yí ge gǎng kǒu
(3) 香港是一个港口。

tā gē ge shàng dà xué èr nián jí
(4) 他哥哥上大学二年级。

tā yǒu hǎo duō péng you
(5) 她有好多朋友。

nà ge rén shì wǒ dà jiě
(6) 那个人是我大姐。

zhè ge rén shì shuí
(7) 这个人是谁？

tā de péng you bù duō
(8) 他的朋友不多。

(a) Hong Kong is a port.

(b) She has many friends.

(c) He is not at home.

(d) That person is my eldest sister.

(e) There is nobody in his home.

(f) Who is this person?

(g) He does not have many friends.

(h) His elder brother is in his second year at university.

8 Say the dates in Chinese.

(1) Monday, December 15

十二月十五日星期一

(2) August 17, 2000

(3) November 17, 1997

(4) Tuesday, February 12

(5) Wednesday, May 2, 2001

(6) October 1, 2001

(7) September 2, 2001

NOTE

sān yuè èr rì
1. 三月二日

March 2nd

sān yuè èr rì xīng qī wǔ
2. 三月二日星期五

Friday, March 2nd

èr líng líng yī nián sān yuè èr rì
3. 二〇〇一年三月二日

xīng qī wǔ
星期五

Friday, March 2nd, 2001

9 Say one sentence for each person.

Example

tā jīn nián shí suì
他今年十岁，
shàng xiǎo xué liù nián jí
上小学六年级。

shí suì　xiǎo xué
十岁，小学
liù nián jí
六年级

1
shí yī suì
十一岁，
xiǎo xué liù nián jí
小学六年级

2
dà míng　jiǔ suì
大明：九岁，
xiǎo xué sì nián jí
小学四年级

xiǎo wén　liù suì
小文：六岁，
xiǎo xué èr nián jí
小学二年级

3
èr shí yī suì　dà xué shēng
二十一岁，大学生

4
shí suì
十岁，
xiǎo xué wǔ nián jí
小学五年级

5
shí èr suì　zhōng xué shēng
十二岁，中学生

6
xiǎo yún　qī suì
小云：七岁，
xiǎo xué èr nián jí
小学二年级

xiǎo tiān　bā suì
小天：八岁，
xiǎo xué sān nián jí
小学三年级

7
shí liù suì
十六岁，
shí yī nián jí
十一年级

第三单元　国家、语言

第十一课　中国在亚洲

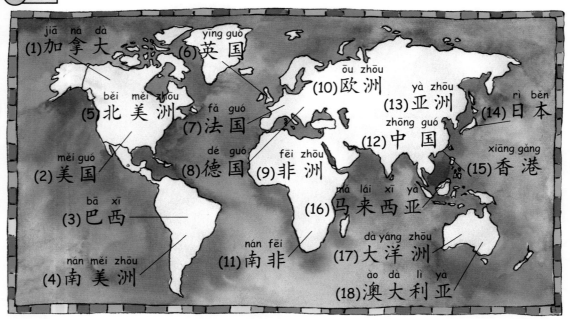

(1) jiā ná dà 加拿大
(6) yīng guó 英国
(10) ōu zhōu 欧洲
(13) yà zhōu 亚洲
(14) rì běn 日本
(5) běi měi zhōu 北美洲
(7) fǎ guó 法国
(12) zhōng guó 中国
(2) měi guó 美国
(8) dé guó 德国
(9) fēi zhōu 非洲
(15) xiāng gǎng 香港
(3) bā xī 巴西
(16) mǎ lái xī yà 马来西亚
(4) nán měi zhōu 南美洲
(11) nán fēi 南非
(17) dà yáng zhōu 大洋洲
(18) ào dà lì yà 澳大利亚

②

lǐ nán shì zhōng guó rén   tā qù guo hěn duō guó jiā   tā qù guo
李南是中国人。她去过很多国家。她去过

měi guó   jiā ná dà   yīng guó   fǎ guó   dé guó   rì běn   mǎ
美国、加拿大、英国、法国、德国、日本、马

lái xī yà hé ào dà lì yà   kě shì tā méi yǒu qù guo nán fēi
来西亚和澳大利亚，可是她没有去过南非。

Answer the questions.

zhōng guó zài nǎr
(1) 中国在哪儿？中国在亚洲。

jiā ná dà zài nǎr
(2) 加拿大在哪儿？

fǎ guó zài nǎr
(3) 法国在哪儿？

dé guó zài nǎr
(4) 德国在哪儿？

ào dà lì yà zài nǎr
(5) 澳大利亚在哪儿？

xiāng gǎng zài nǎr
(6) 香港在哪儿？

rì běn zài nǎr
(7) 日本在哪儿？

lǐ nán qù guo yīng guó ma
(8) 李南去过英国吗？

lǐ nán qù guo nán fēi ma
(9) 李南去过南非吗？

lǐ nán yǒu méi yǒu qù guo xiānggǎng
(10) 李南有没有去过香港？

生词: New Words

1 亚(亞) *yà* second; Asia

2 洲 *zhōu* continent　亚洲 *yà zhōu* Asia

3 加 *jiā* add

4 拿 *ná* take　加拿大 *jiā ná dà* Canada

5 美 *měi* beautiful　美国 *měi guó* U.S.A.

6 巴 *bā* hope earnestly　巴西 *bā xī* Brazil

7 南 *nán* south

南美洲 *nán měi zhōu* Continent of South America

北美洲 *běi měi zhōu* Continent of North America

8 法 *fǎ* law; method

法国 *fǎ guó* France

9 德 *dé* morals; virtue

德国 *dé guó* Germany

10 非 *fēi* wrong; not; no

非洲 *fēi zhōu* Africa

11 欧(歐) *ōu* Europe; surname

欧洲 *ōu zhōu* Europe

12 南非 *nán fēi* South Africa

13 来(來) *lái* come　马来西亚 *mǎ lái xī yà* Malaysia

14 洋 *yáng* ocean

大洋洲 *dà yáng zhōu* Australasia; Oceania

15 澳 *ào* inlet of the sea; bay

16 利 *lì* sharp; advantage; benefit

澳大利亚 *ào dà lì yà* Australia

17 去 *qù* go

18 过(過) *guò* pass; cross over; particle

去过 *qù guo* have been to

19 很多 *hěn duō* many

20 国家 *guó jiā* country

21 可是 *kě shì* but

1 Say the following country names in Chinese.

China

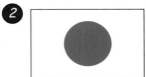
Japan

Malaysia

Canada

France

Australia

Germany

U.S.A.

England

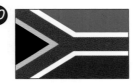
South Africa

2 Match the Chinese with the pinyin.

(1) 法国

(2) 德国

(3) 加拿大

(4) 澳大利亚

(5) 欧洲

(6) 美洲

(7) 亚洲

(8) 马来西亚

(9) 南非

(10) 非洲

(11) 巴西

(a) jiānádà

(b) àodàlìyà

(c) fǎguó

(d) déguó

(e) mǎláixīyà

(f) nánfēi

(g) ōuzhōu

(h) yàzhōu

(i) fēizhōu

(j) měizhōu

(k) bāxī

天天练
Speaking Practice

Read aloud.

yī jiǔ jiǔ jiǔ nián shí èr yuè èr shí wǔ rì
(1) 一九九九年十二月二十五日
yī jiǔ sì jiǔ nián shí yuè yī rì
(2) 一九四九年十月一日
yī jiǔ jiǔ qī nián qī yuè yī rì
(3) 一九九七年七月一日
yī jiǔ jiǔ bā nián shí yī yuè èr shí rì
(4) 一九九八年十一月二十日
yī jiǔ liù qī nián jiǔ yuè jiǔ rì
(5) 一九六七年九月九日

Say the following dates in Chinese.

(1) July 13, 1954

(2) August 22, 1985

(3) May 1, 1970

(4) October 5, 1989

NOTE

guò
"过" a particle indicating past experience.

wǒ xué guo rì wén
(a) 我学过日文。

I have learned Japanese before.

nǐ qù guo zhōng guó ma
(b) A: 你去过中国吗？

Have you been to China?

qù guo méi yǒu qù guo
B: 去过。／没有去过。

Yes, I have. / No. I haven't.

---

3 Match the country with the continent.

zhōng guó
(1) 中国

nán fēi
(2) 南非

ào dà lì yà
(3) 澳大利亚

dé guó
(4) 德国

fǎ guó
(5) 法国

mǎ lái xī yà
(6) 马来西亚

měi guó
(7) 美国

jiā ná dà
(8) 加拿大

yīng guó
(9) 英国

běi měi zhōu
(a) 北美洲

yà zhōu
(b) 亚洲

dà yáng zhōu
(c) 大洋洲

fēi zhōu
(d) 非洲

ōu zhōu
(e) 欧洲

---

4 Answer the following questions.

nǐ qù guo shàng hǎi ma
(1) 你去过上海吗？

nǐ qù guo běi jīng ma
(2) 你去过北京吗？

nǐ qù guo xī ān ma
(3) 你去过西安吗？

nǐ qù guo xiāng gǎng ma
(4) 你去过香港吗？

nǐ qù guo rì běn ma
(5) 你去过日本吗？

nǐ qù guo bā xī ma
(6) 你去过巴西吗？

nǐ qù guo dé guó ma
(7) 你去过德国吗？

nǐ qù guo fǎ guó ma
(8) 你去过法国吗？

nǐ qù guo měi guó ma
(9) 你去过美国吗？

nǐ qù guo jiā ná dà ma
(10) 你去过加拿大吗？

nǐ qù guo nán fēi ma
(11) 你去过南非吗？

nǐ qù guo ào dà lì yà ma
(12) 你去过澳大利亚吗？

nǐ qù guo mǎ lái xī yà ma
(13) 你去过马来西亚吗？

5 Do a survey by asking five classmates the following questions. Complete the table.

	Tally	Summary
nǐ qù guo fǎ guó ma (1) 你去过法国吗？	正	五个人去过法国。
nǐ qù guo yīng guó ma (2) 你去过英国吗？		
nǐ qù guo bā xī ma (3) 你去过巴西吗？		
nǐ qù guo jiā ná dà ma (4) 你去过加拿大吗？		
nǐ qù guo měi guó ma (5) 你去过美国吗？		
nǐ qù guo rì běn ma (6) 你去过日本吗？		
nǐ qù guo dé guó ma (7) 你去过德国吗？		
nǐ qù guo mǎ lái xī yà ma (8) 你去过马来西亚吗？		
nǐ qù guo ào dà lì yà ma (9) 你去过澳大利亚吗？		
nǐ qù guo zhōng guó ma (10) 你去过中国吗？		

6 🔊 Read aloud.

j   q   x

(1) ji	qi	xi
(2) jia	qia	xia
(3) jin	qin	xin
(4) jiu	qiu	xiu

(5) jīqì   qīnqi   xiǎoqì

(6) jiǎnjià   qīngxǐ   xìnxī

(7) jiějué   qiúxué   xìngqù

7 CD T23 Listen to the recording. Fill in the blanks with the countries given.

1

wáng yīng qù guo
王英去过___(a)、

___、___、___、___，

kě shì tā méi yǒu qù guo
可是她没有去过___

hé
和___。

2

lǐ quán qù guo
李全去过___、

___、___、___，可是

kě shì
tā méi yǒu qù guo
他没有去过___、

hé
___和___。

3

mǎ lì yà qù guo
马利亚去过___、

___、___，可是她没

kě shì tā méi
yǒu qù guo
有去过___、___、

hé
___和___。

zhōng guó (a) 中国	fǎ guó (b) 法国	yīng guó (c) 英国	dé guó (d) 德国	ào dà lì yà (e) 澳大利亚
rì běn (f) 日本	měi guó (g) 美国	nán fēi (h) 南非	jiā ná dà (i) 加拿大	mǎ lái xī yà (j) 马来西亚

8 Make new dialogues.

Example

nǐ qù guo měi guó ma
A: 你去过美国吗？

méi yǒu kě shì wǒ qù guo jiā ná dà
B: 没有，可是我去过加拿大。

měi guó jiā ná dà
美国，加拿大

1
Shàng hǎi běi jīng
上海，北京

2
zhōng guó rì běn
中国，日本

识字（四）

我姓李。
wǒ xìng lǐ

我姓张。
wǒ xìng zhāng

mù 木	zǐ 子	lǐ 李，
kǒu 口	tiān 天	wú 吴，
gōng 弓	cháng 长	zhāng 张，
gǔ 古	yuè 月	hú 胡。

我姓吴。
wǒ xìng wú

我姓胡。
wǒ xìng hú

生词：New Words

1. zǐ 子　son
2. wú 吴(吳)　surname
3. gōng 弓　bow
4. zhāng 张(張)　surname; measure word
5. gǔ 古　ancient
6. hú 胡　surname

第十二课　他去过很多国家

CD T25

tā shì wǒ de bǐ yǒu　tā jiào tián jiā yīng　tā jīn nián shí yī suì　tā shì zhōng xué
他是我的笔友。他叫田家英。他今年十一岁。他是中学

shēng shàng qī nián jí　tā qù guo hěn duō dì fang　tā qù guo ōu zhōu　měi zhōu　yà zhōu
生，上七年级。他去过很多地方。他去过欧洲、美洲、亚洲

hé fēi zhōu　tā qù guo hěn duō guó jiā　tā qù guo yīng guó　dé guó　měi guó
和非洲。他去过很多国家。他去过英国、德国、美国、

jiā ná dà　rì běn　mǎ lái xī yà　nán fēi děng guó jiā　tā bà ba　mā
加拿大、日本、马来西亚、南非等国家。他爸爸、妈

ma dōu shì zhōng guó rén　dàn shì tā chū shēng zài fǎ guó　tā men yì jiā rén xiàn zài
妈都是中国人，但是他出生在法国。他们一家人现在

zhù zài běi jīng　tā bà ba　mā ma dōu gōng zuò
住在北京。他爸爸、妈妈都工作。

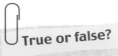

True or false?

tián jiā yīng shì xiǎo xué shēng
(F)(1) 田家英是小学生。

tā shàng jiǔ nián jí
( )(2) 他上九年级。

tā qù guo wǔ ge guó jiā
( )(3) 他去过五个国家。

tā bà ba　mā ma dōu shì zhōng guó rén
( )(4) 他爸爸、妈妈都是中国人。

tián jiā yīng chū shēng zài běi jīng
( )(5) 田家英出生在北京。

tā men yì jiā rén xiàn zài zhù zài fǎ guó
( )(6) 他们一家人现在住在法国。

tā bà ba　mā ma dōu bù gōng zuo
( )(7) 他爸爸、妈妈都不工作。

生词: New Words

1 bǐ
笔(筆)   pen

bǐ yǒu
笔友   penpal

2 dì
地   earth; fields; ground

dì fang
地方   place

3 děng
等   etc.; rank; wait

4 dàn
但   but; yet

dàn shì
但是   but

5 chū
出   out; exit

chū shēng
出生   be born

6 xiàn
现(現)   present

xiàn zài
现在   now

1 Group the countries.

ào dà lì yà
(a) 澳大利亚

zhōng guó
(b) 中国

rì běn
(c) 日本

měi guó
(d) 美国

jiā ná dà
(e) 加拿大

yīng guó
(f) 英国

fǎ guó
(g) 法国

dé guó
(h) 德国

mǎ lái xī yà
(i) 马来西亚

nán fēi
(j) 南非

yà zhōu
(1) 亚 洲 ___(b)___

ōu zhōu
(2) 欧 洲 _____

dà yáng zhōu
(3) 大洋 洲 _____

běi měi zhōu
(4) 北美 洲 _____

fēi zhōu
(5) 非 洲 _____

2 Read aloud.

zh ch sh r

(1)	zhi	chi	shi	ri
(2)	zhan	chan	shan	ran
(3)	zhen	chen	shen	ren
(4)	zhui	chui	shui	rui

(5) zhīchí   chúnzhēn   shōushi   rènzhēn

(6) zhǔnshí   chāochē   shāngrén   rèshēn

(7) zhírì   chènshān   shēngchǎn   rìchū

3 Finish the following dialogues.

Example

A: nǐ qù guo yīng guó ma
你去过英国吗?
B: qù guo / méi yǒu qù guo
去过。／没有去过。

(1) A: nǐ qù guo běi jīng ma
你去过北京吗?

B: _____。

(2) A: nǐ qù guo jiā ná dà ma
你去过加拿大吗?

B: _____。

(3) A: nǐ qù guo ào dà lì yà ma
你去过澳大利亚吗?

B: _____。

(4) A: nǐ qù guo měi guó ma
你去过美国吗?

B: _____。

(5) A: nǐ qù guo fǎ guó ma
你去过法国吗?

B: _____。

(6) A: nǐ qù guo rì běn ma
你去过日本吗?

B: _____。

(7) A: nǐ qù guo mǎ lái xī yà ma
你去过马来西亚吗?

B: _____。

4 CD T26 Listen to the recording. Circle the right answer.

(1) jīn tiān shì jiǔ yuè ____ hào
今天是九月____号。 (a) sì 四 (b) shí 十

(2) jīn tiān xīng qī
今天星期____。 (a) yī 一 (b) èr 二

(3) jīn tiān shì wǒ de ____ suì shēng ri
今天是我的____岁生日。 (a) shí sì 十四 (b) sì shí 四十

(4) wǒ bà ba de shēng ri shì ____ yuè shí bā rì
我爸爸的生日是____月十八日。 (a) qī 七 (b) bā 八

(5) lǐ míng yǒu ____ ge hǎo péng you
李明有____个好朋友。 (a) wǔ 五 (b) shí wǔ 十五

(6) wáng fāng qù guo hěn duō dì fang tā qù guo ____ duō ge guó jiā
王方去过很多地方。她去过____多个国家。 (a) èr shí 二十 (b) sān shí 三十

(7) wǒ dì di jīn nián ____ suì le
我弟弟今年____岁了。 (a) liù 六 (b) shí liù 十六

(8) tián jiā yīng jīn nián shàng ____ nián jí
田家英今年上____年级。 (a) qī 七 (b) sì 四

(9) jīn nián shì ____ nián
今年是____年。 (a) èr líng líng líng 二〇〇〇 (b) èr líng líng yī 二〇〇一

5 Ask your partner similar questions and then summarize all the answers.

nǐ qù guo yīng guó ma
(1) 你去过英国吗?

nǐ qù guo fǎ guó ma
(2) 你去过法国吗?

nǐ qù guo rì běn ma
(3) 你去过日本吗?

nǐ qù guo nán fēi ma
(4) 你去过南非吗?

……

Summary: 他（她）去过……

但是他（她）没有去过……

6 Give country names that you know for each continent.

yà zhōu
(1) 亚洲: 中国、_____

ōu zhōu
(2) 欧洲: _____

nán měi zhōu
(3) 南美洲: _____

fēi zhōu
(4) 非洲: _____

dà yáng zhōu
(5) 大洋洲: _____

7 🔊 Read aloud.

(1) 地方 dìfang　　(8) 很多 hěnduō

(2) 出生 chūshēng　(9) 年级 niánjí

(3) 笔友 bǐyǒu　　(10) 方言 fāngyán

(4) 现在 xiànzài　(11) 历史 lìshǐ

(5) 但是 dànshì　(12) 一齐 yìqí

(6) 星期 xīngqī　(13) 人口 rénkǒu

(7) 国家 guójiā　(14) 工作 gōngzuò

8 Answer the following questions.

jīn tiān shì jǐ yuè jǐ hào
(1) 今天是几月几号?

jīn tiān xīng qī jǐ
(2) 今天星期几?

nǐ duō dà le
(3) 你多大了?

nǐ chū shēng zài nǎr
(4) 你出生在哪儿?

nǐ qù guo hěn duō guó jiā ma
(5) 你去过很多国家吗?

nǐ qù guo rì běn ma
(6) 你去过日本吗?

nǐ yǒu méi yǒu qù guo dé guó
(7) 你有没有去过德国?

nǐ yǒu méi yǒu qù guo ào dà lì yà
(8) 你有没有去过澳大利亚?

nǐ yǒu méi yǒu bǐ yǒu
(9) 你有没有笔友?

nǐ xiàn zài zhù zài nǎr
(10) 你现在住在哪儿?

天天练
Speaking Practice

Read aloud.

xīng qī yī　　　xīng qī wǔ
星期一　　　星期五

xīng qī èr　　　xīng qī liù
星期二　　　星期六

xīng qī sān　　　xīng qī rì tiān
星期三　　　星期日（天）

xīng qī sì
星期四

识 字 （五）

nǚ　　zǐ　　hǎo
女　　子　　好，

tián　　lì　　nán
田　　力　　男，

mén　　kǒu　　wèn
门　　口　　问，

xiǎo　　dà　　jiān
小　　大　　尖。

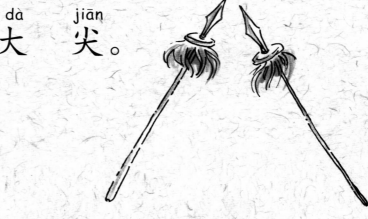

生词：New Words

nǚ
❶ 女　　　female

lì
❷ 力　　　power; strength

nán
❸ 男　　　male

mén
❹ 门 (門)　door

wèn
❺ 问 (問)　ask

jiān
❻ 尖　　　tip; pointed; sharp

第十三课　中国人说汉语

CD T28

1

zhōng guó rén shuō hàn yǔ
中国人说汉语。

2

ào dà lì yà rén shuō yīng yǔ
澳大利亚人说英语。

3

rì běn rén shuō rì yǔ
日本人说日语。

4

jiā ná dà rén shuō yīng yǔ hé fǎ yǔ
加拿大人说英语和法语。

5

dé guó rén shuō dé yǔ
德国人说德语。

6

měi guó rén shuō yīng yǔ
美国人说英语。

7

yīng guó rén shuō yīng yǔ
英国人说英语。

8

xiāng gǎng rén shuō guǎng dōng huà
香港人说广东话、

yīng yǔ hé pǔ tōng huà
英语和普通话。

True or false?

zhōngguó rén shuō hàn yǔ
(T)(1)中国人说汉语。

ào dà lì yà rén bù shuō yīng yǔ
( )(2)澳大利亚人不说英语。

jiā ná dà rén dōu shuō rì yǔ
( )(3)加拿大人都说日语。

dé guó rén dōu shuō hàn yǔ
( )(4)德国人都说汉语。

yīng guó rén shuō yīng yǔ
( )(5)英国人说英语。

xiāng gǎng rén bù shuō guǎng dōng huà
( )(6)香港人不说广东话。

生词: New Words

shuō
1 说(說) speak; talk; say

hàn
2 汉(漢) the Han nationality

yǔ
3 语(語) language

hàn yǔ
汉语 Chinese

yīng yǔ
英语 English

rì yǔ
日语 Japanese

fǎ yǔ
法语 French

dé yǔ
德语 German

guǎng
4 广(廣) broad

dōng
5 东(東) east

guǎng dōng
广 东 Guangdong, a province in China

huà
6 话(話) word; talk

guǎng dōng huà
广 东 话 Cantonese

pǔ
7 普 general; universal

tōng
8 通 open; through

pǔ tōng huà
普 通 话 Putonghua

---

1 CD T29 Listen to the recording. Circle the correct pinyin.

(1) (a) shuóhuà　(b) shuōhuà

(2) (a) yīnyǔ　(b) yīngyǔ

(3) (a) guāngdōng　(b) guǎngdōng

(4) (a) hānyǔ　(b) hànyǔ

(5) (a) bǐyǒu　(b) bǐyǔ

(6) (a) dǐfāng　(b) dìfang

(7) (a) dànshì　(b) dànshī

(8) (a) chūshēng　(b) chúshēng

---

2 True or false?

yīng guó rén shuō hàn yǔ
(F)(1) 英 国 人 说 汉 语。

bā xī rén shuō dé yǔ
( )(2) 巴 西 人 说 德 语。

zhōng guó rén dōu shuō yīng yǔ
( )(3) 中 国 人 都 说 英 语。

rì běn rén shuō rì yǔ
( )(4) 日 本 人 说 日 语。

jiā ná dà rén dōu shuō fǎ yǔ
( )(5) 加 拿 大 人 都 说 法 语。

mǎ lái xī yà rén shuō rì yǔ
( )(6) 马 来 西 亚 人 说 日 语。

nán fēi rén shuō yīng yǔ
( )(7) 南 非 人 说 英 语。

xiāng gǎng rén bù shuō pǔ tōng huà
( )(8) 香 港 人 不 说 普 通 话。

英语 = 英文　English
yīng yǔ　*yīng wén*

法语 = 法文　French
fǎ yǔ　*fǎ wén*

日语 = 日文　Japanese
rì yǔ　*rì wén*

汉语 = 中文　Chinese
hàn yǔ　*zhōng wén*

3　Study the following pairs of phrases.

(1) 法语 French　语法 grammar
fǎ yǔ　*yǔ fǎ*

(2) 去过 have been to　过去 in the past
qù guo　*guò qù*

(3) 山火 mountain fire　火山 volcano
shān huǒ　*huǒ shān*

(4) 女儿 daughter　儿女 children
nǚ ér　*ér nǚ*

4　Finish the following sentences.

(1) 中国人说＿＿汉语＿＿。
zhōng guó rén shuō

(2) 香港人说＿＿＿＿＿＿。
xiāng gǎng rén shuō

(3) 日本人说＿＿＿＿＿＿。
rì běn rén shuō

(4) 美国人说＿＿＿＿＿＿。
měi guó rén shuō

(5) 德国人说＿＿＿＿＿＿。
dé guó rén shuō

(6) 法国人说＿＿＿＿＿＿。
fǎ guó rén shuō

(7) 加拿大人说＿＿＿＿＿＿。
jiā ná dà rén shuō

(8) 南非人说＿＿＿＿＿＿。
nán fēi rén shuō

(9) 澳大利亚人说＿＿＿＿＿＿。
ào dà lì yà rén shuō

天天练
Speaking Practice

Read aloud.

(1) 昨天　今天　明天
zuó tiān　*jīn tiān*　*míng tiān*

(2) 星期二　星期三　星期四
xīng qī èr　*xīng qī sān*　*xīng qī sì*

五月七号　五月八号　五月九号
wǔ yuè qī hào　*wǔ yuè bā hào*　*wǔ yuè jiǔ hào*

昨天　　今天　　明天
zuó tiān　*jīn tiān*　*míng tiān*

Finish the following table.

星期一　　星期二　　（　　　）
xīng qī yī　*xīng qī èr*

（　　　）　十月七号　十月八号
　　　　　shí yuè qī hào　*shí yuè bā hào*

昨天　　今天　　明天
zuó tiān　*jīn tiān*　*míng tiān*

5 CD T30 Listen to the recording. Circle the right answer.

tā jiào shǐ xiǎo quán   tā jīn nián
他 叫 史 小 全。 他 今 年

shí wǔ suì   shàng shí nián jí
十 五 岁， 上 十 年 级。

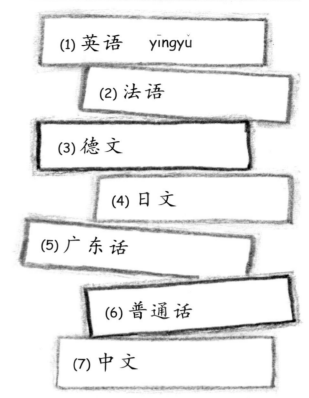

tā chū shēng zài
(1) 他 出 生 在_____。

yīng guó   fǎ guó
(a) 英 国   (b) 法 国

tā shì
(2) 他 是_____。

měi guó rén   zhōng guó rén
(a) 美 国 人   (b) 中 国 人

tā qù guo hěn duō dì fang   tā qù guo
(3) 他 去 过 很 多 地 方。 他 去 过_____。

rì běn   měi guó hé dé guó děng guó jiā
(a) 日 本、美 国 和 德 国 等 国 家

měi guó   jiā ná dà hé rì běn děng guó jiā
(b) 美 国、加 拿 大 和 日 本 等 国 家

tā shuō
(4) 他 说_____。

rì yǔ   yīng yǔ hé fǎ yǔ
(a) 日 语、英 语 和 法 语

yīng yǔ   hàn yǔ hé fǎ yǔ
(b) 英 语、汉 语 和 法 语

tā men yì jiā rén xiàn zài zhù zài
(5) 他 们 一 家 人 现 在 住 在_____。

měi guó   fǎ guó
(a) 美 国   (b) 法 国

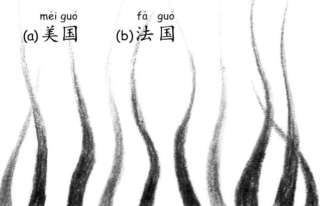

6 Write the pinyin for the following phrases.

(1) 英语   yīngyǔ

(2) 法语

(3) 德文

(4) 日文

(5) 广东话

(6) 普通话

(7) 中文

7 🔊 Read aloud.

	z	c	s
(1)	zi	ci	si
(2)	zai	cai	sai
(3)	zang	cang	sang
(4)	zun	cun	sun
(5)	zìsī	cáizǐ	sùsuàn
(6)	zǎocān	cèsuǒ	sǎngzi
(7)	zàisān	cāozá	sāncān

Match the numbers with the countries on the map.

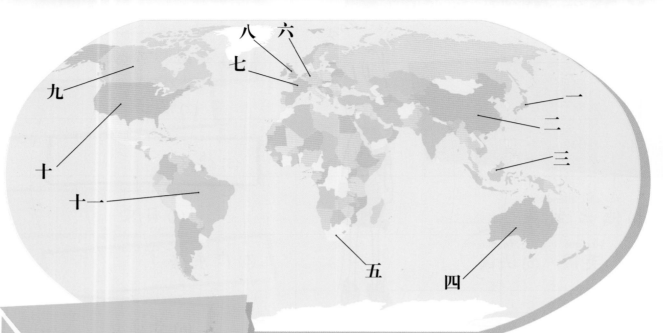

^{měi guó}
(a) 美国 ___十___

^{rì běn}
(b) 日本 _____

^{jiā ná dà}
(c) 加拿大 _____

^{yīng guó}
(d) 英国 _____

^{fǎ guó}
(e) 法国 _____

^{ào dà lì yà}
(f) 澳大利亚 _____

^{zhōng guó}
(g) 中国 _____

^{dé guó}
(h) 德国 _____

^{mǎ lái xī yà}
(i) 马来西亚 _____

^{nán fēi}
(j) 南非 _____

^{bā xī}
(k) 巴西 _____

Answer the questions.

^{rì běn zài nǎr}
(1) 日本在哪儿? 日本在亚洲。

^{dé guó zài nǎr}
(2) 德国在哪儿?

^{bā xī zài nǎr}
(3) 巴西在哪儿?

^{jiā ná dà zài nǎr}
(4) 加拿大在哪儿?

^{ào dà lì yà zài nǎr}
(5) 澳大利亚在哪儿?

^{nán fēi zài nǎr}
(6) 南非在哪儿?

识 字 (六) CD T31

bà ba mā ma
爸 爸 妈 妈，
xiōng dì jiě mèi
兄 弟 姐 妹。
nán nǚ lǎo shào
男 女 老 少，
qīn péng hǎo yǒu
亲 朋 好 友。

生词: New Words

lǎo
❶ 老　　　　　old

shào
❷ 少　　　　　young

qīn
❸ 亲(親)　　　parent; relative

qīn péng hǎo yǒu
亲 朋 好 友　　close friends

第十四课 她会说好几种语言

Moscow 莫斯科
Copenhagen 哥本哈根
Amsterdam 阿姆斯特丹
Berlin 柏林
Warsaw 华沙
Frankfurt 法兰克福
Paris 巴黎
Zurich 苏黎世
Vienna 维也纳
Geneva 日内瓦
Belgrade 贝尔格莱德
Nice 尼斯
Rome 罗马
Lisbon 里斯本
Madrid 马德里

CD T32

tā jiào lǐ xiǎo wén   tā chū shēng zài dé guó
她叫李小文。她出生在德国。

tā jīn nián shí èr suì   shàng bā nián jí   tā méi yǒu
她今年十二岁，上八年级。她没有

xiōng dì jiě mèi   tā bà ba   mā ma dōu zài dé guó
兄弟姐妹。她爸爸、妈妈都在德国

gōng zuò   tā yé ye   nǎi nai yě zhù zài dé guó   tā
工作。她爷爷、奶奶也住在德国。她

qù guo shì jiè shang hěn duō guó jiā   tā huì shuō hǎo jǐ
去过世界上很多国家。她会说好几

zhǒng yǔ yán   tā huì shuō dé yǔ   yīng yǔ hé hàn yǔ
种语言。她会说德语、英语和汉语。

tā bú huì shuō fǎ yǔ   dàn shì tā xiǎng xué fǎ yǔ
她不会说法语，但是她想学法语。

True or false?

lǐ xiǎo wén chū shēng zài běi jīng
(F) (1) 李小文出生在北京。

tā jīn nián bā suì
( ) (2) 她今年八岁。

tā shàng bā nián jí
( ) (3) 她上八年级。

tā bà ba   mā ma dōu zài
( ) (4) 她爸爸、妈妈都在

yīng guó gōng zuò
英国工作。

tā qù guo shì jiè shang hěn duō
( ) (5) 她去过世界上很多

dì fang
地方。

tā huì shuō sì zhǒng yǔ yán
( ) (6) 她会说四种语言。

生词：New Words

huì
① 会(會)   can; meeting; party

jǐ
② 几   a few; several

zhǒng
③ 种(種)   type; race; seed

hǎo jǐ zhǒng
好 几 种   several kinds of

yǔ yán
④ 语 言   language

yé
⑤ 爷(爺)   grandfather

yé ye
爷 爷   grandfather

nǎi
⑥ 奶   milk; grandmother

nǎi nai
奶 奶   grandmother

shì
⑦ 世   lifetime; world

jiè
⑧ 界   boundary; scope

shì jiè
世 界   world

shì jiè shang
世 界 上   in the world

xiǎng
⑨ 想   think; want to; would like to

---

1 Match the words with the pinyin.

(1) 想   (a) shìjiè

(2) 奶奶   (b) yéye

(3) 好几种   (c) xiǎng

(4) 爷爷   (d) nǎinai

(5) 会   (e) pǔtōnghuà

(6) 普通话   (f) huì

(7) 笔友   (g) hǎojǐzhǒng

(8) 汉语   (h) bǐyǒu

(9) 世界   (i) hànyǔ

2 CD T33 Listen to the recording. Circle the phrase you hear.

(1) **hàn yǔ** (a)汉语   **rì yǔ** (b)日语   **yǔ yán** (c)语言

(2) **guǎng dōng huà** (a)广东话   **yīng yǔ** (b)英语   **dōng xi** (c)东西

(3) **jīn nián** (a)今年   **jīn tiān** (b)今天   **míng tiān** (c)明天

(4) **chū shēng** (a)出生   **chū qu** (b)出去   **chū kǒu** (c)出口

(5) **dì fang** (a)地方   **tǔ dì** (b)土地   **tián dì** (c)田地

(6) **rì qī** (a)日期   **xué qī** (b)学期   **xīng qī rì** (c)星期日

(7) **dōng jīng** (a)东京   **dōng fāng** (b)东方   **guǎng dōng** (c)广东

(8) **děng rén** (a)等人   **děng jí** (b)等级   **sān děng** (c)三等

3 Translation.

(1) jǐ tiān
几天

(2) jǐ ge xīng qī
几个星期

(3) hǎo jǐ ge yuè
好几个月

(4) hǎo jǐ nián
好几年

(5) hǎo jǐ ge xiōng dì jiě mèi
好几个兄弟姐妹

(6) jǐ ge zhōng guó rén
几个中国人

(7) hǎo jǐ ge dì fang
好几个地方

(8) jǐ zhǒng yǔ yán
几种语言

(9) hǎo jǐ ge guó jiā
好几个国家

NOTE

jǐ
"几" several; a few

wǒ yǒu jǐ ge zhōng guó péng you
(a) 我有几个中国朋友。

I have several Chinese friends.

wǒ huì shuō hǎo jǐ zhǒng yǔ yán
(b) 我会说好几种语言。

I can speak several languages.

4 Read aloud.

nǎ ge yuè dà	nǎ ge yuè xiǎo
哪个月大?	哪个月小?

yī yuè dà
一月大

èr yuè xiǎo
二月小

sān yuè dà
三月大

sì yuè xiǎo
四月小

wǔ yuè dà
五月大

liù yuè xiǎo
六月小

qī yuè dà
七月大

jiǔ yuè xiǎo
九月小

bā yuè dà
八月大

shí yī yuè xiǎo
十一月小

shí yuè dà
十月大

shí èr yuè dà
十二月大

dà yuè yǒu sān shí yī tiān
(大月有三十一天,
xiǎo yuè yǒu sān shí tiān
小月有三十天)

Speaking Practice

Read aloud.

zuó tiān   jīn tiān   míng tiān
昨天   今天   明天

Finish the following sentences.

jīn tiān xīng qī èr
(1) 今天星期二。
zuó tiān xīng qī
昨天星期_____。

jīn tiān xīng qī wǔ
(2) 今天星期五。
míng tiān xīng qī
明天星期_____。

zuó tiān xīng qī rì
(3) 昨天星期日。
jīn tiān xīng qī
今天星期_____。

jīn tiān shì shí yuè sān rì
(4) 今天是十月三日。
zuó tiān shì
昨天是_____。

zuó tiān shì wǔ yuè shí yī rì
(5) 昨天是五月十一日。
míng tiān shì
明天是_____。

5 Work with your partner to complete the dialogue.

A: nǐ hǎo wǒ jiào zhāng xiǎo dōng
你好！我叫张小东。

nǐ jiào shén me míng zi
你叫什么名字？

B: _____

A: nǐ shì nǎ guó rén
你是哪国人？

B: _____

A: nǐ zhù zài xiāng gǎng ma
你住在香港吗？

B: _____

A: nǐ huì shuō hàn yǔ ma
你会说汉语吗？

B: _____

A: nǐ shàng jǐ nián jí
你上几年级？

nǐ bà ba gōng zuò ma
你爸爸工作吗？

nǐ mā ma gōng zuò ma
你妈妈工作吗？

nǐ qù guo shì jiè shang shén me guó jiā
你去过世界上什么国家？

nǐ xiǎng xué shén me yǔ yán
你想学什么语言？

⋮

NOTE

xiǎng
"想" think; want to; would like to

tā xiǎng xué fǎ yǔ
他想学法语。

He wants to learn French.

6 Form as many sentences as you can. Write them out.

wáng yuè
王 月

lǐ shān
李 山

xiǎo wáng
小 王

xiǎo lì
小 力

wú yà wén
吴亚文

xiǎng
想

xué hàn yǔ
学汉语

qù fǎ guó
去法国

shàng dà xué
上 大学

lái wǒ jiā
来我家

qù shàng hǎi gōng zuò
去上海工作

chū guó
出国

(1) 王月想学汉语。

(2) _____

(3) _____

(4) _____

(5) _____

(6) _____

7 CD T34 Listen to the recording. Circle the right answer.

(1) 我叫＿＿＿＿。 (a) 王安 (b) 王方
wǒ jiào / wáng ān / wáng fāng

(2) 我出生在＿＿＿＿。 (a) 美国 (b) 中国
wǒ chū shēng zài / měi guó / zhōng guó

(3) 我是＿＿＿＿。 (a) 中国人 (b) 美国人
wǒ shì / zhōng guó rén / měi guó rén

(4) 我家有＿＿＿＿口人。 (a) 五 (b) 六
wǒ jiā yǒu / kǒu rén / wǔ / liù

(5) 我去过世界上＿＿＿＿国家。 (a) 好几个 (b) 很多
wǒ qù guo shì jiè shang / guó jiā / hǎo jǐ ge / hěn duō

(6) 我会说＿＿＿＿。 (a) 日语、英语和汉语 (b) 英语、法语和汉语
wǒ huì shuō / rì yǔ、yīng yǔ hé hàn yǔ / yīng yǔ、fǎ yǔ hé hàn yǔ

(7) 我想学＿＿＿＿。 (a) 日语 (b) 广东话
wǒ xiǎng xué / rì yǔ / guǎng dōng huà

(8) 我们一家人现在住在＿＿＿＿。 (a) 北京 (b) 东京
wǒ men yì jiā rén xiàn zài zhù zài / běi jīng / dōng jīng

8 🔊 Read aloud.

	y	w	
(1)	ya	wa	
(2)	yi	wu	yu
(3)	ye	yue	yuan
(4)	yin	yun	ying
(5)	yīnwei	wàiyǔ	
(6)	yīngwén	yīnyuè	
(7)	yóuyǒng	wūyún	

9 Give country names that you know for each continent.

(1) 欧洲：英国、＿＿＿＿＿
ōu zhōu

(2) 北美洲：＿＿＿＿＿
běi měi zhōu

(3) 亚洲：＿＿＿＿＿
yà zhōu

(4) 大洋洲：＿＿＿＿＿
dà yángzhōu

(5) 非洲：＿＿＿＿＿
fēi zhōu

(6) 南美洲：＿＿＿＿＿
nán měi zhōu

10 Reading comprehension.

wǒ jiào tián míng　　wǒ chū shēng zài zhōng guó　　dàn shì wǒ shì měi guó
我叫田明。我出生在中国，但是我是美国
rén　　wǒ jīn nián shí èr suì　　shàng bā nián jí　　wǒ bà ba shì zhōng guó rén
人。我今年十二岁，上八年级。我爸爸是中国人，
wǒ mā ma shì měi guó rén　　wǒ huì shuō hǎo jǐ zhǒng yǔ yán hé fāng yán　　wǒ
我妈妈是美国人。我会说好几种语言和方言。我
huì shuō yīng yǔ　　hàn yǔ hé guǎng dōng huà
会说英语、汉语和广东话。
wǒ qù guo shì jiè shang hěn duō dì fang　　wǒ qù guo ōu zhōu　　yà zhōu
我去过世界上很多地方。我去过欧洲、亚洲
hé dà yáng zhōu　　dàn shì wǒ méi yǒu qù guo fēi zhōu　　wǒ men yì jiā rén xiàn
和大洋洲，但是我没有去过非洲。我们一家人现
zài zhù zài měi guó
在住在美国。

Answer the questions.

tā jiào shén me míng zi
(1) 他叫什么名字？

tā chū shēng zài nǎr
(2) 他出生在哪儿？

tā jīn nián duō dà le　　shàng jǐ nián jí
(3) 他今年多大了？ 上几年级？

tā huì shuō shén me yǔ yán
(4) 他会说什么语言？

tā qù guo shén me dì fang
(5) 他去过什么地方？

tā méi yǒu qù guo shén me dì fang
(6) 他没有去过什么地方？

tā men yì jiā rén xiàn zài zhù zài nǎr
(7) 他们一家人现在住在哪儿？

11 Answer the following questions.

nǐ huì shuō jǐ zhǒng yǔ yán
(1) 你会说几种语言？

nǐ huì shuō dé yǔ ma
(2) 你会说德语吗？

nǐ huì shuō guǎng dōng huà ma
(3) 你会说广东话吗？

nǐ bà ba huì shuō hàn yǔ ma
(4) 你爸爸会说汉语吗？

nǐ xiǎng xué shén me yǔ yán
(5) 你想学什么语言？

nǐ yǒu yé ye　　nǎi nai ma
(6) 你有爷爷、奶奶吗？

第四单元 工作

第十五课 她是医生

CD T35

1

lǐ ān shì yī shēng
李安是医生。

tā shì zhōng guó rén　　tā jīn nián sān shí suì
她是中国人。她今年三十岁。

tā chū shēng zài xiāng gǎng　　tā huì shuō yīng
她出生在香港。她会说英

yǔ　　guǎng dōng huà hé pǔ tōng huà
语、广东话和普通话。

2

wáng yáng shì lǎo shī　　tā jīn
王洋是老师。她今

nián èr shí bā suì　　tā chū shēng zài rì
年二十八岁。她出生在日

běn　　tā huì shuō rì yǔ hé yīng yǔ　　tā
本。她会说日语和英语。她

xiàn zài zhù zài dōng jīng
现在住在东京。

3

wú wén bù gōng zuò　　tā shì jiā tíng
吴文不工作。她是家庭

zhǔ fù　　tā chū shēng zài měi guó　　tā
主妇。她出生在美国。她

xiàn zài zhù zài běi jīng　　tā huì shuō yīng
现在住在北京。她会说英

yǔ　hé hàn yǔ
语和汉语。

4

lǐ dé shēng shì shāng rén　　tā chū
李德生是商人。他出

shēng zài yīng guó　　tā zhù zài jiā ná dà
生在英国。他住在加拿大。

tā jīn nián sì shí èr suì
他今年四十二岁。

5

hú wén yuè shì lǜ shī　tā shì fǎ guó
胡文月是律师。她是法国
rén　tā qù guo shì jiè shang hěn duō dì fang
人。她去过世界上很多地方。
tā huì shuō hǎo jǐ zhǒng yǔ yán
她会说好几种语言。

6

zhāng měi yīng shì yín háng jiā　tā jīn nián sān
张美英是银行家。她今年三
shí liù suì　tā shì ào dà lì yà rén　tā yě
十六岁。她是澳大利亚人。她也
qù guo hěn duō dì fang　tā huì shuō yīng yǔ　fǎ
去过很多地方。她会说英语、法
yǔ hé hàn yǔ　tā xiàn zài zhù zài xiāng gǎng
语和汉语。她现在住在香港。

7

tā jiào zhāng lì　tā shì dài fu　tā
他叫张力。他是大夫。他
shì mǎ lái xī yà rén　tā jiào tián yún　tā
是马来西亚人。她叫田云。她
shì hù shi　tā shì rì běn rén
是护士。她是日本人。

8

tā jiào zhāng míng　tā shì sī jī　tā
他叫张明。他是司机。他
shì xiāng gǎng rén　tā huì shuō guǎng dōng huà hé yīng
是香港人。他会说广东话和英
yǔ　tā xiǎng xué pǔ tōng huà
语。他想学普通话。

lǐ ān shì lǎo shī
(F)(1) 李安是老师。

wáng yáng bú shì yī shēng
( )(2) 王洋不是医生。

wú wén shì jiā tíng zhǔ fù
( )(3) 吴文是家庭主妇。

lǐ dé shēng chū shēng zài jiā ná dà
( )(4) 李德生出生在加拿大。

zhāng měi yīng shì lǜ shī
( )(5) 张美英是律师。

zhāng míng shì hù shi
( )(6) 张明是护士。

生词: New Words

❶	yī 医(醫)	~~medical~~ medicine
	yī shēng 医生	doctor
❷	shī 师(師)	teacher; master
	lǎo shī 老师	teacher
❸	dōng jīng 东京	Tokyo
❹	tíng 庭	front; courtyard
	jiā tíng 家庭	family
❺	zhǔ 主	major
❻	fù 妇(婦)	woman
	jiā tíng zhǔ fù 家庭主妇	housewife
❼	shāng 商	trade; business
	shāng rén 商人	businessman
❽	lǜ 律	law; rule
	lǜ shī 律师	lawyer
❾	yín 银(銀)	silver
❿	háng 行	profession; business firm
	yín háng 银行	bank
	yín háng jiā 银行家	banker
⓫	fū 夫	husband; man
	dài fu 大夫	doctor
⓬	hù 护(護)	protect
⓭	shì 士	scholar
	hù shi 护士	nurse
⓮	sī 司	take charge of
⓯	jī 机(機)	machine; engine
	sī jī 司机	driver

1 CD T36 Listen to the recording. Circle the right answer.

(1) xiǎo yún chū shēng zài
小 云 出 生 在＿＿＿＿。
(a) shàng hǎi 上 海 (b) běi jīng 北 京

(2) tā shàng
她 上＿＿＿＿。
(a) shí yī nián jí 十 一 年 级 (b) shí nián jí 十 年 级

(3) tā bà ba、 mā ma dōu
她 爸 爸、 妈 妈 都＿＿＿＿。
(a) bù gōng zuò 不 工 作 (b) gōng zuò 工 作

(4) tā bà ba shì
她 爸 爸 是＿＿＿＿。
(a) lǜ shī 律 师 (b) lǎo shī 老 师

(5) tā mā ma shì
她 妈 妈 是＿＿＿＿。
(a) shāng rén 商 人 (b) yín háng jiā 银 行 家

(6) tā qù guo shì jiè shang guó jiā
她 去 过 世 界 上＿＿＿＿国 家。
(a) hěn duō 很 多 (b) hǎo jǐ ge 好 几 个

(7) tā huì shuō
她 会 说＿＿＿＿。
(a) hàn yǔ、 yīng yǔ hé rì yǔ 汉 语、英 语 和 日 语
(b) yīng yǔ、 hàn yǔ hé fǎ yǔ 英 语、汉 语 和 法 语

2 Match the Chinese with the pinyin.

(1) 老师
(2) 银行家
(3) 司机
(4) 护士
(5) 商人
(6) 医生
(7) 律师
(8) 家庭主妇

(a) shāngrén
(b) lǎoshī
(c) yīshēng
(d) lǜshī
(e) hùshi
(f) jiātíng zhǔfù
(g) yínhángjiā
(h) sījī

3 Read aloud.

zh	z
(1) zhù	zài
(2) zhāng	zuò
(3) zhōng	zǎo

(4) zhànzhù	zànzhu
(5) zhízhuó	zhìzuò
(6) zázhì	zàozhǐ
(7) zhùzuò	zàozuò

4 Make new dialogues.

Example

sī jī hù shi
司机？护士。

A: tā shì sī jī ma
她是司机吗？

B: tā bú shì sī jī　tā shì hù shi
她不是司机。她是护士。

1 yín háng jiā　lǎo shī
银行家？老师。

A: _____

B: _____

---

2 lǜ shī　jiā tíng zhǔ fù
律师？家庭主妇。

A: _____

B: _____

3 yī shēng　gōng rén
医生？工人。

A: _____

B: _____

---

4 shāng rén　lǎo shī
商人？老师。

A: _____

B: _____

5 Find the odd one out.

(1) ōu zhōu 欧洲	měi zhōu 美洲	xiāng gǎng 香港	fēi zhōu 非洲
(2) lǜ shī 律师	lǎo shī 老师	gōng rén 工人	gōng zuò 工作
(3) zhōng guó 中国	xī ān 西安	měi guó 美国	dé guó 德国
(4) kě shì 可是	péng you 朋友	hǎo yǒu 好友	xué sheng 学生
(5) dì di 弟弟	pǔ tōng huà 普通话	jiě jie 姐姐	gē ge 哥哥
(6) dōng jīng 东京	běi jīng 北京	shàng hǎi 上海	yīng guó 英国
(7) hàn yǔ 汉语	rì yǔ 日语	fǎ yǔ 法语	fāng yán 方言
(8) dà 大	xiǎo 小	le 了	duō 多
(9) nián 年	yuè 月	rì 日	hé 和

天天练
Speaking Practice

Read aloud.

zuó tiān 昨天　jīn tiān 今天　míng tiān 明天

qù nián 去年　jīn nián 今年　míng nián 明年

Complete the following sentences.

(1) jīn tiān xīng qī sān 今天星期三。

míng tiān xīng qī 明天星期_____。

(2) jīn nián shì èr líng líng yī nián 今年是二〇〇一年。

qù nián shì 去年是_____。

6 Make new dialogues.

Example

Doctor?

No, housewife.

A: tā shì yī shēng ma 她是医生吗？

B: bú shì shì jiā tíng zhǔ fù 不是，是家庭主妇。

 1

Lawyer?

No, doctor.

A: _____

B: _____

2

Nurse?

No, teacher.

A: _____

B: _____

7   Match the Chinese with the English.

(1) 夫人   *fū ren*   (a) master

(2) 姐夫   *jiě fu*   (b) law

(3) 法律   *fǎ lǜ*   (c) Madame; Mrs.

(4) 主人   *zhǔ rén*   (d) brother-in-law

(5) 律师行   *lǜ shī háng*   (e) mercury

(6) 银子   *yín zi*   (f) law firm

(7) 水银   *shuǐ yín*   (g) taxi

(8) 的士   *dī shì*   (h) silver

(9) 夫妇   *fū fù*   (i) woman

(10) 中医   *zhōng yī*   (j) couple

(11) 西医   *xī yī*   (k) Chinese medicine

(12) 妇女   *fù nǚ*   (l) Western medicine

9   Answer the following questions.

(1) 你是哪国人？
nǐ shì nǎ guó rén

(2) 你今年多大了？上几年级？
nǐ jīn nián duō dà le shàng jǐ nián jí

(3) 你家有几口人？有什么人？
nǐ jiā yǒu jǐ kǒu rén yǒu shén me rén

(4) 你爸爸是律师吗？
nǐ bà ba shì lǜ shī ma

(5) 你妈妈是老师吗？
nǐ mā ma shì lǎo shī ma

(6) 你的生日是几月几号？
nǐ de shēng ri shì jǐ yuè jǐ hào

8   CD T37   Listen to the recording. Circle the right answer.

(1) 王方的爸爸是＿＿＿。
wáng fāng de bà ba shì

他是＿＿＿。
tā shì

(a) 北京人，律师
běi jīng rén lǜ shī

(b) 西安人，律师
xī ān rén lǜ shī

(c) 西安人，商人
xī ān rén shāng rén

(2) 王方的妈妈是＿＿＿。
wáng fāng de mā ma shì

她是＿＿＿。
tā shì

(a) 上海人，护士
shàng hǎi rén hù shi

(b) 北京人，大夫
běi jīng rén dài fu

(c) 北京人，家庭主妇
běi jīng rén jiā tíng zhǔ fù

(3) 山本明的爸爸是＿＿＿。
shān běn míng de bà ba shì

他是＿＿＿。
tā shì

(a) 日本人，银行家
rì běn rén yín háng jiā

(b) 日本人，商人
rì běn rén shāng rén

(c) 英国人，律师
yīng guó rén lǜ shī

(4) 山本明的妈妈是＿＿＿。
shān běn míng de mā ma shì

她是＿＿＿。
tā shì

(a) 中国人，老师
zhōng guó rén lǎo shī

(b) 中国人，医生
zhōng guó rén yī shēng

(c) 日本人，司机
rì běn rén sī jī

识 字 (七) CD T38

shí　yī　suì
十 一 岁，

zhǎng　dà　le
长 大 了。

shēng　rì　kǎ
生 日 卡，

zì　jǐ　huà
自 己 画。

生词: New Words

1 长 (zhǎng) — grow; senior; eldest

长大 (zhǎng dà) — grow up

2 卡 (kǎ) — card

生日卡 (shēng rì kǎ) — birthday card

3 自 (zì) — self; oneself

4 己 (jǐ) — oneself

自己 (zì jǐ) — oneself

5 画(畫) (huà) — draw; paint

第十六课　他做什么工作

CD T39

tā shì fú wù yuán
他是服务员。

tā xǐ huan tā de gōng zuò
他喜欢他的工作。

tā shì mì shū
她是秘书。

tā bù xǐ huan tā de gōng zuò
她不喜欢她的工作。

tā shì jīng lǐ
他是经理。

tā xǐ huan tā de gōng zuò
他喜欢他的工作。

tā shì gōng chéng shī
他是工程师。

tā xǐ huan tā de gōng zuò
他喜欢他的工作。

Answer the questions.

tā zuò shén me gōng zuò
他做什么工作?

tā xǐ huan tā de gōng zuò ma
他喜欢他的工作吗?

tā zuò shén me gōng zuò
她做什么工作?

tā xǐ huan tā de gōng zuò ma
她喜欢她的工作吗?

tā zuò shén me gōng zuò
他做什么工作?

tā xǐ huan tā de gōng zuò ma
他喜欢他的工作吗?

tā zuò shén me gōng zuò
他做什么工作?

tā xǐ huan tā de gōng zuò ma
他喜欢他的工作吗?

生词：New Words

1 zuò 做	make; do	**7** mì 秘	secret
2 fú 服	clothes; serve	**8** shū 书 (書)	book; write; script
3 wù 务 (務)	affair; business	mì shū 秘书	secretary
fú wù 服务	service	**9** jīng 经 (經)	manage
4 yuán 员 (員)	member	**10** lǐ 理	manage; natural science
fú wù yuán 服务员	attendant	jīng lǐ 经理	manager
5 xǐ 喜	happy; like	**11** chéng 程	rule; order
6 huān 欢 (歡)	merry	gōng chéng shī 工 程 师	engineer
xǐ huan 喜欢	like; be fond of		

1

CD T40 **Listen to the recording. Circle the phrase you hear.**

(1) (a) lǎo shī 老师 (b) lǜ shī 律师 ⃝ (c) xué sheng 学生

(2) (a) fú wù yuán 服务员 (b) yín háng jiā 银行家 (c) dài fu 大夫

(3) (a) yī shēng 医生 (b) gōng chéng shī 工 程 师 (c) sī jī 司机

(4) (a) hù shi 护士 (b) mì shū 秘书 (c) jīng lǐ 经理

(5) (a) zhōng guó rén 中 国 人 (b) yīng guó rén 英 国 人 (c) měi guó rén 美 国 人

(6) (a) jiā tíng 家庭 (b) gōng rén 工人 (c) lǜ shī 律师

(7) (a) běi jīng 北京 (b) shàng hǎi 上 海 (c) xiāng gǎng 香 港

(8) (a) ào zhōu 澳 洲 (b) ōu zhōu 欧 洲 (c) fēi zhōu 非 洲

(9) (a) gōng zuò 工作 (b) nián jí 年级 (c) bǐ yǒu 笔友

(10) (a) hàn yǔ 汉语 (b) dé yǔ 德语 (c) fǎ yǔ 法语

(11) (a) hěn duō 很多 (b) hěn zǎo 很早 (c) hěn hǎo 很好

(12) (a) rén kǒu 人口 (b) fāng yán 方言 (c) lì shǐ 历史

2 Make new dialogues.

Example

A: tā zuò shén me gōng zuò
他做什么工作?

B: tā shì fú wù yuán
他是服务员。

A: tā xǐ huan tā de gōng zuò ma
他喜欢他的工作吗?

B: xǐ huan
喜欢。

fú wù yuán
服务员

xǐ huan
喜欢

1

sī jī
司机

bù xǐ huan
不喜欢

2

lǎo shī
老师

xǐ huan
喜欢

3

gōng rén
工人

bù xǐ huan
不喜欢

4

lǜ shī
律师

xǐ huan
喜欢

5

gōng chéng shī
工程师

xǐ huan
喜欢

6

mì shū
秘书

bù xǐ huan
不喜欢

3 Match the words in column A with the ones in column B.

Ⓐ

(1) yī 医

(2) yín háng 银行

(3) jiā tíng 家庭

(4) gōng chéng 工程

(5) jīng 经

(6) gōng 工

(7) sī 司

(8) hù 护

(9) fú wù 服务

(10) mì 秘

(11) dài 大

Ⓑ

(a) zhǔ fù 主妇

(b) shēng 生

(c) shī 师

(d) jiā 家

(e) rén 人

(f) yuán 员

(g) lǐ 理

(h) fu 夫

(i) jī 机

(j) shi 士

(k) shū 书

4 Answer the following questions.

(1) nǐ jiā yǒu jǐ kǒu rén 你家有几口人？

(2) nǐ yǒu xiōng dì jiě mèi ma 你有兄弟姐妹吗？

(3) nǐ yǒu méi yǒu gē ge 你有没有哥哥？

(4) nǐ jīn nián duō dà le 你今年多大了？

(5) nǐ jīn nián shàng jǐ nián jí 你今年上几年级？

(6) nǐ qù guo shén me guó jiā 你去过什么国家？

(7) nǐ huì shuō shén me yǔ yán 你会说什么语言？

(8) nǐ yǒu méi yǒu bǐ yǒu 你有没有笔友？

(9) nǐ bà ba shì yī shēng ma 你爸爸是医生吗？

(10) nǐ mā ma shì lǜ shī ma 你妈妈是律师吗？

(11) nǐ bà ba xǐ huan tā de gōng zuò ma 你爸爸喜欢他的工作吗？

天天练 Speaking Practice

Finish the following sentences according to the calendar.

2001年3月	March					
星期日	星期一	星期二	星期三	星期四	星期五	星期六
今天				1	2	3
4	5	6	7	8	9	10
11	12	13	14	15	16	17
18	19	20	21	22	23	24
25	26	27	28	29	30	31

(1) jīn tiān shì yuè hào 今天是＿＿月＿＿号。

(2) jīn tiān xīng qī 今天星期＿＿。

(3) míng tiān xīng qī 明天星期＿＿。

(4) jīn nián shì nián 今年是＿＿＿＿年。

5 Conduct a survey among your classmates to find out what they would like to do when they grow up. Finish the following table.

	Tally	Summary
nǐ xiǎng zuò yī shēng ma (1) 你 想 做 医 生 吗?	正 正 下	十三个人想做医生。
nǐ xiǎng zuò lǎo shī ma (2) 你 想 做 老 师 吗?		
nǐ xiǎng zuò lǜ shī ma (3) 你 想 做 律 师 吗?		
nǐ xiǎng zuò shāng rén ma (4) 你 想 做 商 人 吗?		
nǐ xiǎng zuò hù shi ma (5) 你 想 做 护 士 吗?		
nǐ xiǎng zuò yín háng jiā ma (6) 你 想 做 银 行 家 吗?		
nǐ xiǎng zuò sī jī ma (7) 你 想 做 司 机 吗?		
nǐ xiǎng zuò jīng lǐ ma (8) 你 想 做 经 理 吗?		
nǐ xiǎng zuò fú wù yuán ma (9) 你 想 做 服 务 员 吗?		
nǐ xiǎng zuò gōng chéng shī ma (10) 你 想 做 工 程 师 吗?		

6 Read aloud.

ch   c

(1)	chū	cū	(4)	chūchāi	cáichǎn
(2)	cháng	cáng	(5)	cānchē	cúnchǔ
(3)	chuān	cóng	(6)	cāicè	chācuò

7

CD T41 **Listen to the recording. Circle the right answer.**

zhāng wén shì
(1) 张 文 是 _____。

tā _____ tā de gōng zuò
她 _____ 她 的 工 作。

yín háng jiā　　bù xǐ huan
(a) 银 行 家，不 喜 欢

hàn yǔ lǎo shī　　xǐ huan
(b) 汉 语 老 师，喜 欢　　⬭

wáng huān shì
(2) 王 欢 是 _____。

tā _____ tā de gōng zuò
他 _____ 他 的 工 作。

fú wù yuán　　bù xǐ huan
(a) 服 务 员，不 喜 欢

yī shēng　　bù xǐ huan
(b) 医 生，不 喜 欢

tián xiǎo yún shì
(3) 田 小 云 是 _____。

tā _____ tā de gōng zuò
她 _____ 她 的 工 作。

gōng rén　　xǐ huan
(a) 工 人，喜 欢

yī shēng　　xǐ huan
(b) 医 生，喜 欢

wú tiān míng shì
(4) 吴 天 明 是 _____。

tā _____ tā de gōng zuò
他 _____ 他 的 工 作。

lǜ shī　　xǐ huan
(a) 律 师，喜 欢

lǜ shī　　bù xǐ huan
(b) 律 师，不 喜 欢

zhāng jīng shì
(5) 张 京 是 _____。

tā _____ tā de gōng zuò
她 _____ 她 的 工 作。

hù shi　　xǐ huan
(a) 护 士，喜 欢

hù shi　　bù xǐ huan
(b) 护 士，不 喜 欢

8

Match the Chinese with the English.

zuò gōng
(1) 做 工　　(a) calligraphy

shū fǎ
(2) 书 法　　(b) work

shǒu gōng
(3) 手 工　　(c) seaman

yuán gōng
(4) 员 工　　(d) engineering

hǎi yuán
(5) 海 员　　(e) staff

hǎo xīn
(6) 好 心　　(f) book

gōng chéng
(7) 工 程　　(g) good intention

shū běn
(8) 书 本　　(h) handcraft

9

Translation.

(1) She is a secretary.

(2) He is a doctor.

(3) Her father is a manager.

(4) Her mother is a nurse.

(5) Her elder sister is a waitress.

(6) Her elder brother is a worker.

(7) She likes her job.

(8) My father does not like his job.

识 字 （八）  CD T42

ěr kǒu mù
耳 口 目，

tóu shǒu zú
头 手 足，

wū fà cháng
乌 发 长，

bái yá guāng
白 牙 光。

生词： New Words

1	mù 目	eye	6	bái 白	white
2	tóu 头（頭）	head	7	yá 牙	tooth
3	zú 足	foot	8	guāng 光	light; smooth
4	wū 乌（烏）	black; dark			
5	fà 发（髮）	hair			

第十七课　她在一家日本公司工作

1

tā jiào zhāng xiǎo wén　tā shì mì shū　tā
她叫张小文。她是秘书。她

zài yì jiā rì běn gōng sī gōng zuò　tā zhàng fu shì
在一家日本公司工作。她丈夫是

yín háng jiā　zài yì jiā měi guó yín háng gōng zuò
银行家，在一家美国银行工作。

2

ān shì yīng guó rén
安是英国人。

tā shì yīng yǔ lǎo shī　zài yí ge zhōng wén xué
她是英语老师，在一个中文学

xiào gōng zuò　tā xiān sheng shì yī shēng　zài yì
校工作。她先生是医生，在一

jiā yī yuàn gōng zuò
家医院工作。

3

hú xiān sheng shì
胡先生是

jīng lǐ　zài yì jiā jiǔ diàn gōng zuò　tā
经理，在一家酒店工作。他

tài tai shì fú wù yuán　zài yì jiā fàn diàn
太太是服务员，在一家饭店

gōng zuò
工作。

4

yīng nán shì fú wù yuán　zài
英南是服务员，在

yì jiā jiǔ diàn gōng zuò　tā xiān sheng shì gōng
一家酒店工作。她先生是工

chéng shī　zài yì jiā gōng chǎng gōng zuò　tā
程师，在一家工厂工作。他

men yǒu yí ge nǚ ér hé liǎng ge ér zi
们有一个女儿和两个儿子。

5

wáng nǚ shì shì lǜ shī
王女士是律师。

tā huì shuō hǎo jǐ zhǒng yǔ yán　tā huì shuō yīng
她会说好几种语言。她会说英

yǔ　fǎ yǔ　dé yǔ hé yì diǎnr hàn yǔ
语、法语、德语和一点儿汉语。

tā zài yì jiā lǜ shī háng gōng zuò
她在一家律师行工作。

...estions.

　　　　zuò shén me　gōng zuò
　　　　...做什么工作?

　　　　　　　gōng zuò
(2) ...儿工作?

　　　ān　shì　nǎ guó rén
(3) 安是哪国人?

　　　tā　zuò shén me gōng zuò
(4) 她做什么工作?

　　　tā zài nǎr　　gōng zuò
(5) 她在哪儿工作?

　　　hú　xiān sheng zuò　shén me　gōng zuò
(6) 胡先生做什么工作?

　　　tā　tài　tai　zuò shén me　gōng zuò
(7) 他太太做什么工作?

　　　tā　tài　tai　zài nǎr　　gōng zuò
(8) 他太太在哪儿工作?

　　　yīng nán zài nǎr　　gōng zuò
(9) 英南在哪儿工作?

　　　tā yǒu jǐ ge ér zi　　jǐ ge nǚ ér
(10) 她有几个儿子、几个女儿?

　　　　wáng nǚ shì　zài nǎr　　gōng zuò
(11) 王女士在哪儿工作?

　　　　wáng nǚ shì　huì shuō hàn yǔ　ma
(12) 王女士会说汉语吗?

生词: New Words

❶	gōng 公	public	gōng sī 公司	company	❽ tài 太 too	tài tai 太太 Mrs.; madame
❷	zhàng 丈	a form of address			❾ fàn 饭(飯)	cooked rice; meal
	zhàng fu 丈夫	husband			fàn diàn 饭店	restaurant; hotel
❸	xiào 校	school			❿ chǎng 厂(廠) factory	gōng chǎng 工厂 factory
	xué xiào 学校	school			⓫ nǚ ér 女儿	daughter
❹	xiān 先	first of all			⓬ ér zi 儿子	son
	xiān sheng 先生	Mr.; husband; teacher			⓭ nǚ shì 女士	Ms.; lady
❺	yuàn 院	courtyard			⓮ diǎn 点(點)	dot; point; o'clock
	yī yuàn 医院	hospital			yì diǎnr 一点儿	a little bit
❻	jiǔ 酒	alcoholic drink; wine			⓯ lǜ shī háng 律师行	law firm
❼	diàn 店	shop; store				
	jiǔ diàn 酒店	hotel				

1 CD T44 Listen to the recording. Circle the right answer.

(1) qí xiǎo yún zài _____ gōng zuò
齐小云在_____工作。
(a) yín háng 银行　(b) gōng chǎng 工厂　(c) gōng sī 公司

(2) shǐ yán zài _____ gōng zuò
史言在_____工作。
(a) yī yuàn 医院　(b) xué xiào 学校　(c) jiā 家

(3) zhāng tián tian zài _____ gōng zuò
张田田在_____工作。
(a) lǜ shī háng 律师行　(b) jiǔ diàn 酒店　(c) shū diàn 书店

(4) gǔ yuè zài _____ gōng zuò
古月在_____工作。
(a) fàn diàn 饭店　(b) gōng sī 公司　(c) yī yuàn 医院

(5) hú xiǎo fāng zài _____ gōng zuò
胡小方在_____工作。
(a) jiā 家　(b) xué xiào 学校　(c) yín háng 银行

2 📢 Read aloud.

(1) 商店　shāngdiàn

(2) 银行　yínháng

(3) 工厂　gōngchǎng

(4) 饭店　fàndiàn

(5) 酒店　jiǔdiàn

(6) 公司　gōngsī

(7) 学校　xuéxiào

(8) 律师行　lǜshīháng

(9) 书店　shūdiàn

(10) 医院　yīyuàn

3 Finish the following dialogues in Chinese.

(1) nǐ gē ge zài nǎr gōng zuò　gōng chǎng 工厂
A: 你哥哥在哪儿工作？
B: 他在工厂工作。

(2) nǐ bà ba zài nǎr gōng zuò　yī yuàn 医院
A: 你爸爸在哪儿工作？
B: _____

(3) nǐ mā ma zài nǎr gōng zuò　gōng sī 公司
A: 你妈妈在哪儿工作？
B: _____

(4) nǐ jiě jie zài nǎr gōng zuò　xué xiào 学校
A: 你姐姐在哪儿工作？
B: _____

(5) wáng xiān sheng zài nǎr gōng zuò　jiǔ diàn 酒店
A: 王先生在哪儿工作？
B: _____

4 Fill in the blanks with the measure words in the box.

gè	kǒu	jiā
个	口	家

tā bà ba zài yì ___ yín háng gōng zuò
(1) 他爸爸在一＿家＿银行工作。

xiǎo yún de mā ma zài yì ___ rì běn
(2) 小云的妈妈在一＿＿＿日本

gōng sī gōng zuò
公司工作。

jiě jie zài yì ___ fǎ yǔ zhōng xué zuò
(3) 姐姐在一＿＿＿法语中学做

lǎo shī
老师。

gē ge shì fú wù yuán tā zài yì
(4) 哥哥是服务员。他在一

jiǔ diàn gōng zuò
＿＿＿酒店工作。

xiǎo míng de bà ba shì jīng lǐ tā zài
(5) 小明的爸爸是经理。他在

yì ___ gōng chǎng gōng zuò
一＿＿＿工厂工作。

wǒ mā ma shì yīng yǔ lǎo shī tā zài
(6) 我妈妈是英语老师。她在

yì ___ yīng yǔ xué xiào zuò lǎo shī
一＿＿＿英语学校做老师。

tā yǒu yì ___ dì di
(7) 他有一＿＿＿弟弟。

tā jiā yǒu wǔ ___ rén
(8) 她家有五＿＿＿人。

zhāng xiǎo guāng yǒu liǎng ___ hǎo péng you
(9) 张小光有两＿＿＿好朋友。

gè kǒu jiā
"个"、"口"、"家" are measure

words in Chinese. The measure word is

positioned between the number and the noun.

gè
(a) "个" is for general use.

liǎng ge péng you
两个朋友 two friends

kǒu
(b) "口" is usually for family members.

sān kǒu rén
三口人 three members in the family

jiā
(c) "家" is for households or enterprises.

yì jiā shāng diàn
一家商店 one shop

More examples:

gè rén lǎo shī xué sheng
个: 人、老师、学生、

fú wù yuán yī shēng lǜ shī
服务员、医生、律师

kǒu rén
口: 人

jiā fàn diàn lǜ shī háng shū diàn
家: 饭店、律师行、书店、

gōng sī yín háng
公司、银行

5 CD T45 Listen to the recording. Circle the phrase you hear.

(1) (a) yī yuàn 医院　(b) yī shēng 医生　(c) xué sheng 学生

(2) (a) fàn diàn 饭店　(b) jiǔ diàn 酒店　(c) jiǔ shí 九十

(3) (a) gōng sī 公司　(b) gōng chǎng 工厂　(c) gōng rén 工人

(4) (a) hǎi yuán 海员　(b) fú wù yuán 服务员　(c) yuán gōng 员工

(5) (a) xué xiào 学校　(b) xué sheng 学生　(c) xiān sheng 先生

(6) (a) fàn diàn 饭店　(b) zǎo fàn 早饭　(c) zhōng fàn 中饭

(7) (a) zhàng fu 丈夫　(b) dài fu 大夫　(c) xiǎo jie 小姐

(8) (a) mì shū 秘书　(b) shū diàn 书店　(c) jiǔ diàn 酒店

NOTE

xǐ huan 喜欢 like

hěn xǐ huan 很喜欢 like very much

bù xǐ huan 不喜欢 do not like

bú tài xǐ huan 不太喜欢 don't really like

6 Read aloud.

sh　s

(1) shì　sì
(2) shān　sān
(3) shuǐ　suì
(4) shānshuǐ　sānshí
(5) shāngshì　shàngsi
(6) shìshí　suíshí

7 Translation.

(1) xiǎo míng xǐ huan tā de yīng wén lǎo shī 小明喜欢他的英文老师。

(2) wǒ mèi mei hěn xǐ huan xué hàn yǔ 我妹妹很喜欢学汉语。

(3) wǒ dì di bù xǐ huan tā de xué xiào 我弟弟不喜欢他的学校。

(4) xiǎo wáng bù xǐ huan tā de gōng zuò 小王不喜欢他的工作。

(5) wǒ mā ma hěn xǐ huan zhè jiā jiǔ diàn 我妈妈很喜欢这家酒店。

(6) tā yé ye bú tài xǐ huan zhù zài xiāng gǎng 他爷爷不太喜欢住在香港。

(7) xiǎo yún bù xǐ huan chī zǎo fàn 小云不喜欢吃早饭。

(8) lǐ xiǎo jie bù xǐ huan zuò mì shū 李小姐不喜欢做秘书。

(9) wú xiān sheng xǐ huan zài gōng sī gōng zuò 吴先生喜欢在公司工作。

8 Say two sentences for each picture.

服务员／饭店
fú wù yuán fàn diàn

Example

王小姐是服务员。
wáng xiǎo jie shì fú wù yuán

她在饭店工作。
tā zài fàn diàn gōng zuò

1

老师／学校
lǎo shī xué xiào

胡先生_____
hú xiān sheng

_____

2

秘书／公司
mì shū gōng sī

马小姐_____
mǎ xiǎo jie

_____

3

工程师／工厂
gōng chéng shī gōng chǎng

李先生_____
lǐ xiān sheng

_____

4

服务员／酒店
fú wù yuán jiǔ diàn

小王_____
xiǎo wáng

_____

5

医生／医院
yī shēng yī yuàn

张女士_____
zhāng nǔ shì

_____

天天练
Speaking Practice

Finish the following sentences according to the calendar.

(1) 今天星期三。昨天星期____。
jīn tiān xīng qī sān   zuó tiān xīng qī

(2) 明天是一月四日。今天是____。
míng tiān shì yī yuè sì rì   jīn tiān shì

(3) 今年是二〇〇一年。明年是____。
jīn nián shì èr líng líng yī nián   míng nián shì

2001年1月 January

星期日	星期一	星期二	星期三	星期四	星期五	星期六
今天	1	2	③	4	5	6
7	8	9	10	11	12	13
14	15	16	17	18	19	20
21	22	23	24	25	26	27

识字（九） CD T46

大 灰 象，
dà huī xiàng

鼻 子 长，
bí zi cháng

个 子 高，
gè zi gāo

力 气 大。
lì qi dà

生词：New Words

1. 灰 huī — grey
2. 象 xiàng — elephant
   大象 dà xiàng — elephant
3. 鼻 bí — nose
   鼻子 bí zi — nose

4. 个子 gè zi — height; build
5. 高 gāo — high; tall
6. 气(氣) qì — gas; air
   力气 lì qi — physical strength

第五单元　上学、上班

第十八课　他天天坐校车上学

1

tā jiào wáng dà shān　jīn nián shí sān
他叫王大山，今年十三

suì　　tā tiān tiān zuò xiào chē shàng xué　　dàn
岁。他天天坐校车上学，但

shì　tā　jīn tiān zuò　tā　bà ba　de chē shàng xué
是他今天坐他爸爸的车上学。

2

tā shì wáng dà shān de tóng xué　　tián
他是王大山的同学，田

lì　　tā jīn nián yě shí sān suì　　tā tiān tiān
力。他今年也十三岁。他天天

zuò gōng gòng qì chē shàng xué
坐公共汽车上学。

3

tā men shì wáng dà shān de　bà ba　hé
他们是王大山的爸爸和

mā ma　wáng dà shān de　bà ba　shì gōng chéng
妈妈。王大山的爸爸是工程

shī　tā　kāi chē shàng bān　tā mā ma bù
师。他开车上班。他妈妈不

gōng zuò　　tā shì jiā tíng zhǔ fù
工作。她是家庭主妇。

4

zhè shì tián lì de bà ba　　tā
这是田力的爸爸。他

shì yì jiā jiǔ diàn de jīng lǐ　　tā
是一家酒店的经理。他

zuò chū zū qì chē shàng bān
坐出租汽车上班。

6

lǐ wén shì lǐ yún de jiě jie　　tā jīn
李文是李云的姐姐。她今

nián shàng shí èr nián jí　　tā xīng qī liù qù
年上十二年级。她星期六去

běi jīng　　　tā zuò huǒ chē qù běi jīng
北京。她坐火车去北京。

5

lǐ yún shì wáng dà shān de hǎo
李云是王大山的好

péng you　　tā jīn nián shàng shí nián
朋友。她今年上十年

jí　　tā zuò diàn chē shàng xué
级。她坐电车上学。

8

lǐ yún hé lǐ wén de mā ma shì
李云和李文的妈妈是

lǜ shī　　tā zài yì jiā měi guó lǜ shī
律师。她在一家美国律师

háng gōng zuò　　tā zuò dì tiě shàng bān
行工作。她坐地铁上班。

7

lǐ yún hé lǐ wén de bà ba shì
李云和李文的爸爸是

shāng rén　　tā míng tiān qù yīng guó　　tā
商人。他明天去英国。他

zuò fēi jī qù yīng guó
坐飞机去英国。

Answer the questions.

wáng dà shān jīn nián duō dà le
(1) 王大山今年多大了？

tián lì shì shuí
(2) 田力是谁？

wáng dà shān de bà ba zuò shén me gōng zuò
(3) 王大山的爸爸做什么工作？

wáng dà shān de mā ma gōng zuò ma
(4) 王大山的妈妈工作吗？

lǐ yún zěn me shàng xué
(5) 李云怎么上学？

lǐ wén xīng qī liù qù nǎr
(6) 李文星期六去哪儿？

lǐ yún de bà ba nǎ tiān qù yīng guó
(7) 李云的爸爸哪天去英国？

lǐ wén de mā ma zěn me shàng bān
(8) 李文的妈妈怎么上班？

生词：New Words

tiān tiān		
❶ 天天	every day	
zuò		
❷ 坐	travel by; sit	
chē		
❸ 车(車)	vehicle	
xiào chē		
校车	school bus	
zuò xiào chē		
坐校车	take the school bus	
tóng		
❹ 同	same; like	
tóng xué		
同学	schoolmate	
gòng		
❺ 共	common; general	
gōng gòng		
公共	public	
qì		
❻ 汽	vapour; steam	
qì chē		
汽车	car; motor vehicle	
gōng gòng qì chē		
公共汽车	public bus	
kāi		
❼ 开(開)	drive; open; manage	
kāi chē		
开车	drive a car	

bān		
❽ 班	class; shift	
shàng bān		
上班	go to work	
zū		
❾ 租	rent; hire	
chū zū qì chē		
出租（汽）车	taxi	
diàn		
❿ 电(電)	electricity	
diàn chē		
电车	tram	
huǒ chē		
⓫ 火车	train	
fēi		
⓬ 飞(飛)	fly	
fēi jī		
飞机	plane	
tiě		
⓭ 铁(鐵)	iron	
dì tiě		
地铁	underground	
zěn		
⓮ 怎	why; how	
zěn me		
怎么	how	

1 Match the pictures with the words in the box.

qì chē
(1) 汽车

gōng gòng qì chē
(2) 公共汽车

diàn chē
(3) 电车

huǒ chē
(4) 火车

fēi jī
(5) 飞机

chū zū qì chē
(6) 出租汽车

dì tiě
(7) 地铁 b

kǎ chē
(8) 卡车 d

rén lì chē
(9) 人力车 g

mǎ chē
(10) 马车

xiào chē
(11) 校车

2 Match the question with the answer.

nǐ bà ba zěn me shàng bān
(1) 你爸爸怎么上班？

nǐ mā ma zěn me qù běi jīng
(2) 你妈妈怎么去北京？

wáng xiān sheng zěn me qù yín háng
(3) 王先生怎么去银行？

nǐ zěn me shàng xué
(4) 你怎么上学？

tā zuò fēi jī qù běi jīng
(a) 她坐飞机去北京。

wǒ zuò xiào chē shàng xué
(b) 我坐校车上学。

tā kāi chē shàng bān
(c) 他开车上班。

tā zuò chū zū chē qù yín háng
(d) 他坐出租车去银行。

3 Make new dialogues.

Example

A: nǐ bà ba zěn me shàng bān
你爸爸怎么上班?

B: tā zuò gōng gòng qì chē shàng bān
他坐公共汽车上班。

nǐ bà ba　　shàng bān
你爸爸／上班

zuò gōng gòng qì chē
坐公共汽车

1

wáng xiān sheng　　shàng bān
王先生／上班

zuò dì tiě
坐地铁

2

wáng tài tai　　qù shàng hǎi
王太太／去上海

zuò huǒ chē
坐火车

3

fāng míng　　shàng xué
方明／上学

zuò xiào chē
坐校车

4

wú xiān sheng　　shàng bān
吴先生／上班

kāi chē
开车

5

lǐ jīng lǐ　　qù měi guó
李经理／去美国

zuò fēi jī
坐飞机

4 CD T48 Listen to the recording. Circle the right answer.

(1) 王大山＿＿＿上学。
wáng dà shān   shàng xué

(a) 坐他爸爸的汽车
zuò tā bà ba de qì chē

(b) 开车
kāi chē
(c) 坐校车
zuò xiào chē

(2) 王大山的爸爸＿＿＿上班。
wáng dà shān de bà ba   shàng bān

(a) 坐他儿子的汽车
zuò tā ér zi de qì chē

(b) 开车
kāi chē
(c) 坐出租车
zuò chū zū chē

(3) 田力＿＿＿上学。
tián lì   shàng xué

(a) 坐公共汽车
zuò gōng gòng qì chē

(b) 开公共汽车
kāi gōng gòng qì chē
(c) 坐火车
zuò huǒ chē

(4) 田力的爸爸＿＿＿上班。
tián lì de bà ba   shàng bān

(a) 坐飞机
zuò fēi jī

(b) 坐出租车
zuò chū zū chē
(c) 坐电车
zuò diàn chē

5 🔊 Read aloud.

zh   ch   sh
j   q   x

(1) zhíjiē   chuánqí   shuāngxǐ

(2) zhíxì   chūqù   shǒuxù

(3) jīchì   qíshí   chūxí

(4) zháojí   shēngqì   jíshí

(5) zhāoqí   quánshí   jiǔshí

6 🔊 Read aloud.

(1) 一天
yì tiān

(2) 两个星期
liǎng ge xīng qī

(3) 三个月
sān ge yuè

(4) 四年
sì nián

(5) 五个哥哥
wǔ ge gē ge

(6) 六个妹妹
liù ge mèi mei

(7) 七个老师
qī ge lǎo shī

(8) 八个国家
bā ge guó jiā

(9) 九个医生
jiǔ ge yī shēng

(10) 十家公司
shí jiā gōng sī

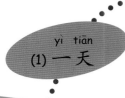

天天练
Speaking Practice

Answer the questions.

(1) 今天是五月三号。
jīn tiān shì wǔ yuè sān hào

明天是几月几号？
míng tiān shì jǐ yuè jǐ hào

(2) 今天是十月九号。
jīn tiān shì shí yuè jiǔ hào

昨天是几月几号？
zuó tiān shì jǐ yuè jǐ hào

(3) 昨天是星期三。
zuó tiān shì xīng qī sān

今天是星期几？
jīn tiān shì xīng qī jǐ

识 字 （十） CD T49

shàng　xià　　zuǒ　　yòu
上　　下　　左　　右，

dōng　nán　　xī　　běi
东　　南　　西　　北。

yī　　nián　　sì　　jì
一　　年　　四　　季，

chūn　　xià　　qiū　　dōng
春　　夏　　秋　　冬。

生词：New Words

❶	xià 下	below; next; get off		❺	chūn 春	spring
❷	zuǒ 左	left		❻	xià 夏	summer
❸	yòu 右	right		❼	qiū 秋	autumn
❹	jì 季	season		❽	dōng 冬	winter

yì nián sì jì
一年四季　　throughout the year

第十九课　她坐地铁上班

tā jiào shǐ xiǎo dōng　jīn nián shàng shí nián
他叫史小冬，今年上十年

jí　　tā qù guo shì jiè shang hěn duō dì fang
级。他去过世界上很多地方。

tā huì shuō hǎo jǐ zhǒng yǔ yán　tā zhǎng dà
他会说好几种语言。他长大

yǐ hòu xiǎng zuò lǜ shī　tā měi tiān qí zì xíng
以后想做律师。他每天骑自行

chē shàng xué　　tā xǐ huan tā de xué xiào
车上学。他喜欢他的学校。

tā jiào lǐ guāng míng　shì shǐ xiǎo dōng
他叫李光明，是史小冬

de péng you　　tā men zài tóng yí ge xué xiào
的朋友。他们在同一个学校

shàng xué　　tā chū shēng zài měi guó　dàn shì
上学。他出生在美国，但是

zài xiāng gǎng zhǎng dà　cóng xīng qī yī dào xīng
在香港长大。从星期一到星

qī wǔ　　tā měi tiān zuò dì tiě shàng xué
期五，他每天坐地铁上学。

xīng qī liù　　xīng qī tiān tā xǐ huan qí mǎ
星期六、星期天他喜欢骑马。

huān huan yǒu yí ge gē ge hé yí ge jiě
欢欢有一个哥哥和一个姐

jie　　tā men zài tóng yí ge xué xiào shàng xué
姐。他们在同一个学校上学。

tā men měi tiān zǒu lù shàng xué
他们每天走路上学。

huān huan de mā ma shì dà xué lǎo shī
欢欢的妈妈是大学老师。

cóng xīng qī yī dào xīng qī wǔ　　tā qù dà
从星期一到星期五，她去大

xué shàng bān　　tā xiān zuò chuán　rán hòu zuò
学上班。她先坐船，然后坐

dì tiě shàng bān
地铁上班。

shǐ xiǎo dōng měi tiān zěn me shàng xué
(1) 史小冬每天怎么上学？

shǐ xiǎo dōng zhǎng dà yǐ hòu xiǎng zuò shén me
(2) 史小冬长大以后想做什么？

lǐ guāng míng chū shēng zài nǎr
(3) 李光明出生在哪儿？

lǐ guāng míng xīng qī liù xǐ huan zuò shén me
(4) 李光明星期六喜欢做什么？

huān huan yǒu jǐ ge xiōng dì jiě mei
(5) 欢欢有几个兄弟姐妹？

huān huan měi tiān zěn me shàng xué
(6) 欢欢每天怎么上学？

huān huan de mā ma zuò shén me gōng zuò
(7) 欢欢的妈妈做什么工作？

tā mā ma měi tiān zěn me shàng bān
(8) 她妈妈每天怎么上班？

生词：New Words

❶	hòu 后 (後)	behind; back
	yǐ hòu 以后	after
❷	měi 每	every
	měi tiān tiān tiān 每天 = 天天	every day
❸	qí 骑 (騎)	ride
	qí mǎ 骑马	ride a horse
❹	xíng 行	go; travel
	zì xíng chē 自行车	bicycle
	qí zì xíng chē 骑自行车	ride a bicycle

❺	cóng 从 (從)	from
❻	dào 到	arrive; until
	cóng dào 从……到……	from...to...
❼	zǒu 走	walk
❽	lù 路	road; journey
	zǒu lù 走路	walk
❾	chuán 船	boat; ship
❿	rán 然	right
	rán hòu 然后	then; after that
	xiān rán hòu 先……然后……	first...then...

1 Say the mode of transport in Chinese.

2 CD T51 Listen to the recording. Circle the right answer.

(1) (a) 骑马 qí mǎ   (b) 骑自行车 qí zì xíng chē

(2) (a) 走路 zǒu lù   (b) 坐车 zuò chē

(3) (a) 然后 rán hòu   (b) 以后 yǐ hòu

(4) (a) 每天 měi tiān   (b) 天天 tiān tiān

(5) (a) 去过 qù guo   (b) 到过 dào guo

(6) (a) 地铁 dì tiě   (b) 地方 dì fang

(7) (a) 坐船 zuò chuán   (b) 坐出租车 zuò chū zū chē

(8) (a) 星期 xīng qī   (b) 年级 nián jí

(9) (a) 飞机 fēi jī   (b) 手机 shǒu jī

(10) (a) 汽水 qì shuǐ   (b) 汽车 qì chē

3 Interview two classmates. Fill in the form below.

Questions	Classmate A	Classmate B
nǐ jiā yǒu jǐ ge rén (1)你家有几个人？		
nǐ jīn nián duō dà le (2)你今年多大了？		
nǐ shì nǎ guó rén (3)你是哪国人？		
nǐ chū shēng zài nǎr (4)你出生在哪儿？		
nǐ qù guo shén me dì fang (5)你去过什么地方？		
nǐ huì shuō shén me yǔ yán (6)你会说什么语言？		
nǐ bà ba gōng zuò ma　　zuò shén me gōng zuò (7)你爸爸工作吗？做什么工作？		
nǐ mā ma gōng zuò ma　　zuò shén me gōng zuò (8)你妈妈工作吗？做什么工作？		
nǐ bà ba zěn me shàng bān (9)你爸爸怎么上班？		
nǐ zěn me shàng xué (10)你怎么上学？		

4 Circle the correct pinyin.

(1) 走路　(a) zǒulù　(b) zǒulù ⃝

(2) 自行车　(a) zìxíngchē　(b) zhìxíncē

(3) 骑马　(a) chímǎ　(b) qímǎ

(4) 然后　(a) lánhuò　(b) ránhòu

(5) 每天　(a) mǎitiān　(b) měitiān

(6) 到过　(a) tàoguo　(b) dàoguo

(7) 同班　(a) tóngbān　(b) dōngbāng

(8) 出租车　(a) chūzūchē　(b) chūzhūcē

5 Translation.

(1) I first take the ferry and then the school bus to school.

(2) My father first takes the bus and then the underground to work.

(3) My mother first takes the tram and then walks to work.

(4) Mr. Wang goes to Beijing first, and then flies to Shanghai.

(5) I want to learn Mandarin first, and then learn Japanese.

(6) Mrs. Zhang went to the bank first, and then to the school.

NOTE

xiān ...... rán hòu
先 …… 然后 …… first... then...

wǒ xiān zuò huǒ chē dào dōng jīng
我先坐火车到东京，

rán hòu zuò fēi jī qù yīng guó
然后坐飞机去英国。

I first take the train to Tokyo, then the plane to England.

6 Answer the following questions.

nǐ bà ba gōng zuò ma
(1) 你爸爸工作吗？

tā xǐ huan tā de gōng zuò ma
(2) 他喜欢他的工作吗？

tā měi tiān zěn me shàng bān
(3) 他每天怎么上班？

nǐ yǒu xiōng dì jiě mèi ma
(4) 你有兄弟姐妹吗？

nǐ jīn nián shàng jǐ nián jí
(5) 你今年上几年级？

nǐ měi tiān zěn me shàng xué
(6) 你每天怎么上学？

nǐ qù guo fēi zhōu ma
(7) 你去过非洲吗？

nǐ huì shuō shén me yǔ yán
(8) 你会说什么语言？

天天练
Speaking Practice

Answer the questions.

jīn tiān shì jǐ yuè jǐ hào
(1) 今天是几月几号？

xià ge yuè shì jǐ yuè
(2) 下个月是几月？

hòu tiān shì jǐ yuè jǐ hào
(3) 后天是几月几号？

hòu nián shì nǎ nián
(4) 后年是哪年？

7 Make new dialogues.

Example

A: wáng tiān míng měi tiān zěn me shàng xué
王 天 明 每 天 怎 么 上 学？

B: tā zuò chū zū chē shàng xué
他 坐 出 租 车 上 学。

wáng tiān míng　　shàng xué
王 天 明 ／ 上 学

zuò chū zū chē
坐 出 租 车

1

wáng xiān sheng　　wáng tài tai　　shàng bān
王 先 生、王 太 太 ／ 上 班

zuò gōng gòng qì chē
坐 公 共 汽 车

wáng xiǎo jie　　shàng bān
王 小 姐 ／ 上 班

kāi chē
开 车

2

3

zhāng lǎo shī　　shàng bān
张 老 师 ／ 上 班

zǒu lù
走 路

xiǎo fāng　　shàng xué
小 方 ／ 上 学

qí zì xíng chē
骑 自 行 车

4

8 🎧 Read aloud.

		ü	u	
(1)	jǔ	qú	xù	(4) fùnǚ　nǔlì
(2)	lǚ	lù		(5) zhēngqǔ　fúwù
(3)	nǚ	nǔ		(6) jǔzhòng　zǒulù

识　字（十一） CD T52

写　大　字，
xiě　dà　zì

用　毛　笔。
yòng　máo　bǐ

中　国　菜，
zhōng　guó　cài

用　竹　筷。
yòng　zhú　kuài

生词：New Words

1 写(寫) xiě　　write

2 毛 máo　　hair; wool

　　毛笔 máo bǐ　　writing brush

3 菜 cài　　vegetable; dish

4 竹 zhú　　bamboo

5 筷 kuài　　chopsticks

　　竹筷 zhú kuài　　bamboo chopsticks

第二十课　我早上七点半上学

CD T53

1

① xiàn zài sì diǎn
现在四点。

② xiàn zài liǎng diǎn líng wǔ fēn
现在两点零五分。

③ xiàn zài sì diǎn èr shí wǔ fēn
现在四点二十五分。

④ xiàn zài shí yī diǎn yí kè
现在十一点一刻。

⑤ xiàn zài shí yī diǎn sān kè
现在十一点三刻。

⑥ xiàn zài qī diǎn bàn
现在七点半。

2

tián míng
田明

fāng yún
方云

fāng yún 方云：	nǐ měi tiān zǎo shang jǐ diǎn shàng xué 你每天早上几点上学？
tián míng 田明：	wǒ zǎo shang qī diǎn bàn shàng xué 我早上七点半上学。
fāng yún 方云：	nǐ zěn me shàng xué 你怎么上学？
tián míng 田明：	wǒ zuò dì tiě shàng xué 我坐地铁上学。

3

wáng xiān sheng
王 先 生

wáng tài tai　　　nǐ de biǎo jǐ diǎn le
王 太 太：你 的 表 几 点 了？

wáng xiān sheng　　liù diǎn yí kè
王 先 生：六 点 一 刻。

wáng tài tai　　　nǐ zuò jǐ diǎn de huǒ
王 太 太：你 坐 几 点 的 火

chē qù běi jīng
车 去 北 京？

wáng xiān sheng　　wǒ zuò shí diǎn bàn de
王 先 生：我 坐 十 点 半 的

huǒ chē
火 车。

wáng tài tai
王 太 太

wáng tài tai　　　nǐ zuò kuài chē hái shi
王 太 太：你 坐 快 车 还 是

màn chē
慢 车？

wáng xiān sheng　　kuài chē
王 先 生：快 车。

True or false?

tián míng měi tiān zǎo shang qī diǎn shàng xué
(F)(1) 田 明 每 天 早 上 七 点 上 学。

tián míng zuò dì tiě shàng xué
( )(2) 田 明 坐 地 铁 上 学。

wáng xiān sheng zuò shí diǎn bàn de huǒ chē qù shàng hǎi
( )(3) 王 先 生 坐 十 点 半 的 火 车 去 上 海。

wáng xiān sheng zuò kuài chē qù běi jīng
( )(4) 王 先 生 坐 快 车 去 北 京。

生词: New Words

① zǎo shang
早 上   early morning

② bàn
半   half

qī diǎn bàn
七点半   half past seven

③ sì diǎn
四 点   four o'clock

jǐ diǎn
几点   what time

④ líng
零   zero

⑤ fēn
分   minute

liǎng diǎn líng wǔ fēn
两 点 零 五 分   five past two

⑥ kè
刻   a quarter (of an hour)

shí yī diǎn yí kè
十一点一刻   a quarter past eleven

shí yī diǎn sān kè
十一点三刻   eleven forty-five

⑦ biǎo
表(錶)   meter; watch

⑧ kuài
快   quick; fast

kuài chē
快车   express train or bus

⑨ hái shi
还是   or

⑩ màn
慢   slow   màn chē 慢车 slow train

1   Match the time with the clock.

(a)

(b)

(c)

(d)

(e)

(f)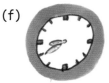

(g)

(h)

xiàn zài bā diǎn sì shí fēn
(1) 现在八点四十分。

xiàn zài shí yī diǎn bàn
(2) 现在十一点半。

xiàn zài bā diǎn líng wǔ fēn
(3) 现在八点零五分。

xiàn zài jiǔ diǎn yí kè
(4) 现在九点一刻。

xiàn zài shí èr diǎn
(5) 现在十二点。

xiàn zài shí diǎn èr shí wǔ fēn
(6) 现在十点二十五分。

xiàn zài shí èr diǎn sān kè
(7) 现在十二点三刻。

xiàn zài sān diǎn wǔ shí wǔ fēn
(8) 现在三点五十五分。

2 Say the time in Chinese.

Example

xiàn zài bā diǎn bàn
现在八点半。

3 Listen to the recording. Circle the time you hear.

CD T54

(1)	(a) 4:15	(b) 5:14
(2)	(a) 8:08	(b) 8:18
(3)	(a) 9:45	(b) 6:45
(4)	(a) 12:10	(b) 10:12
(5)	(a) 3:30	(b) 5:30
(6)	(a) 11:20	(b) 2:10
(7)	(a) 8:25	(b) 5:18
(8)	(a) 5:40	(b) 4:50

4 Make new dialogues.

Example

xiǎo jie   nǐ de biǎo jǐ diǎn le
小姐，你的表几点了？

wǔ diǎn sān kè
五点三刻。

5:45

1

xiān sheng   xiàn zài jǐ diǎn le
先生，现在几点了？

7:05

2

xiǎo míng
小明，…？

12:30

5 Finish the dialogues in Chinese.

(1) A: nǐ zuò jǐ diǎn de huǒ chē qù nán jīng
你坐几点的火车去南京？ (8:00)

B: <u>我坐八点的火车去南京。</u>

(2) A: nǐ zuò jǐ diǎn de chuán qù shàng hǎi
你坐几点的船去上海？ (5:30)

B: _____

(3) A: nǐ zuò jǐ diǎn de qì chē qù shàng bān
你坐几点的汽车去上班？ (9:10)

B: _____

(4) A: nǐ zuò jǐ diǎn de huǒ chē qù běi jīng
你坐几点的火车去北京？ (5:50)

B: _____

天天练
Speaking Practice

十月　　　　2001年

星期日　星期一　星期二

　　　　1　　　2

7　　　8　　　9
　　　今天

True or false?

jīn tiān shì shí yuè shí hào
(F) (1) 今天是十月十号。

jīn tiān xīng qī yī
(　) (2) 今天星期一。

xià ge yuè shì shí yī yuè
(　) (3) 下个月是十一月。

6 Answer the questions in Chinese.

(1) A: nǐ měi tiān jǐ diǎn shàng xué
你每天几点上学？ 7:10

B: 我每天七点十分上学。

(2) A: nǐ bà ba jǐ diǎn shàng bān
你爸爸几点上班？ 8:15

B: _____

(3) A: nǐ mā ma jǐ diǎn xià bān
你妈妈几点下班？ 4:45

B: _____

(4) A: lǐ xiān sheng jǐ diǎn qù gōng sī
李先生几点去公司？ 2:30

B: _____

(5) A: nǐ gē ge jǐ diǎn shàng xué
你哥哥几点上学？ 7:50

B: _____

7 Answer the questions in Chinese.

Example

tā shì lǎo shī hái shi
她是老师还是

xué sheng
学 生？

tā shì lǎo shī
她是老师。

NOTE

hái shi
"还是" or

tā shì yī shēng hái shi hù shi
她是医生还是护士？

Is she a doctor or a nurse?

1

tā shì gōng rén hái shi
他是工人还是

gōng chéng shī
工 程 师？

2

jīn tiān xīng qī sān hái shi
今天星期三还是

xīng qī sì
星期四？

3

wáng xiān sheng kāi chē hái shi
王先生开车还是

zuò chū zū chē shàng bān
坐出租车上班？

4

tā shì yá yī hái shi
她是牙医还是

hù shi
护士？

5

xiǎo míng zuò xiào chē hái shi zuò
小明坐校车还是坐

gōng gòng qì chē shàng xué
公共汽车上学？

6

wén wen zhè shi nǐ gē ge
文文，这是你哥哥

hái shi nǐ dì di
还是你弟弟？

8 🔊 Read aloud.

iu   ui

(1)	niú	shuǐ	(4) jiǔshí	chuīniú
(2)	qiú	tuǐ	(5) xiùqiú	shuìjiào
(3)	liú	zuǐ	(6) xiūnǔ	kāishuǐ

识 字 （十二）

chūn jié dào
春 节 到 ，
gěi hóng bāo
给 红 包 ，
xiǎo hái zi
小 孩 子 ，
kāi kǒu xiào
开 口 笑 。

生词： New Words

jié
1 节 (節)　　festival; knot; section
chūn jié
春 节　　　　the Chinese New Year
gěi
2 给 (給)　　give; for
hóng
3 红 (紅)　　red
bāo　　　　　　　　　hóng bāo
4 包　　packet; bag　红 包　red packet
hái
5 孩　　child
hái zi
孩 子　　child; children
kāi kǒu
6 开 口　　open one's mouth
xiào
7 笑　　smile; laugh

第二十一课　汽车比自行车快

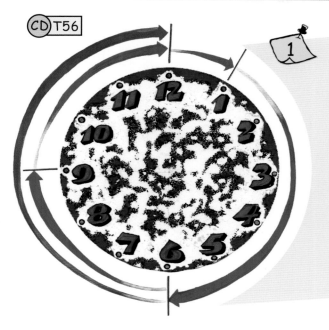

1

zǎo shang
早上: 6:00-9:00

shàng wǔ
上午: 9:00-12:00

zhōng wǔ
中午: 12:00-13:00

xià wǔ
下午: 13:00-18:00

wǎn shang
晚上: 18:00-24:00

2

dōng dong měi tiān zǎo shang liù diǎn chī
冬冬每天早上六点吃

zǎo fàn　　qī diǎn zuò xiào chē shàng xué　zhōng
早饭，七点坐校车上学。中

wǔ zài xué xiào chī wǔ fàn　xià wǔ sān diǎn
午在学校吃午饭。下午三点

shí fēn fàng xué huí jiā　　tā bà ba　　mā
十分放学回家。他爸爸、妈

ma liù diǎn yí kè xià bān　　tā men quán jiā
妈六点一刻下班。他们全家

wǎn shang qī diǎn chī wǎn fàn　tā xǐ huan qí
晚上七点吃晚饭。他喜欢骑

mǎ hé kàn shū
马和看书。

3

qì chē bǐ zì xíng chē kuài
汽车比自行车快。

huǒ chē bǐ qì chē gèng kuài
火车比汽车更快。

fēi jī zuì kuài le
飞机最快了。

dōng dong zǎo shang bù chī zǎo fàn
(F)(1) 冬 冬 早 上 不 吃 早 饭。

dōng dong zài jiā chī wǔ fàn
( )(2) 冬 冬 在 家 吃 午 饭。

dōng dong xià wǔ sān diǎn shí fēn fàng xué
( )(3) 冬 冬 下 午 三 点 十 分 放 学。

dōng dong xǐ huan qí zì xíng chē
( )(4) 冬 冬 喜 欢 骑 自 行 车。

zì xíng chē bǐ qì chē kuài
( )(5) 自 行 车 比 汽 车 快。

huǒ chē bǐ fēi jī kuài
( )(6) 火 车 比 飞 机 快。

生词: New Words

❶	bǐ 比	compare	**❺**	fàng 放	let go
❷	wǔ 午	noon		fàng xué 放 学	finish school
	shàng wǔ 上 午	morning	**❻**	huí 回	return
	zhōng wǔ 中 午	noon		huí jiā 回 家	go home
	xià wǔ 下 午	afternoon	**❼**	xià bān 下 班	go off work
❸	wǎn 晚	evening; late	**❽**	quán jiā 全 家	the whole family
	wǎn shang 晚 上	evening	**❾**	kàn 看	see; look; watch
❹	chī 吃	eat		kàn shū 看 书	read a book
	chī fàn 吃 饭	eat; have a meal	**❿**	gèng 更	even more
	chī zǎo fàn 吃 早 饭	eat breakfast		gèng kuài 更 快	faster
	chī wǔ/zhōng fàn 吃 午/中 饭	eat lunch	**⓫**	zuì 最	most
	chī wǎn fàn 吃 晚 饭	eat dinner		zuì kuài 最 快	the fastest

1 Match the time with the clock.

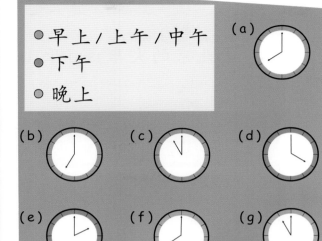

- 早上／上午／中午
- 下午
- 晚上

(a) (b) (c) (d) (e) (f) (g) (h) (i) (j)

zǎo shang   bā diǎn
(1) 早上 八点

xià wǔ liǎng diǎn
(6) 下午两点

shàng wǔ shí yī diǎn
(2) 上午十一点

wǎn shang shí yī diǎn
(7) 晚上十一点

zhōng wǔ shí èr diǎn
(3) 中午十二点

xià wǔ sì diǎn
(8) 下午四点

xià wǔ sān diǎn
(4) 下午三点

zǎo shang qī diǎn
(9) 早上七点

wǎn shang bā diǎn
(5) 晚上八点

wǎn shang qī diǎn
(10) 晚上七点

2 Circle the correct pinyin.

(1) 下　(a) xià　(b) shià

(2) 看　(a) kàn　(b) kàng

(3) 更　(a) gèn　(b) gèng

(4) 最　(a) zhuì　(b) zuì

(5) 吃　(a) chē　(b) chī

(6) 回　(a) huí　(b) hiú

(7) 放　(a) fàng　(b) fàn

(8) 晚　(a) wǎng　(b) wǎn

(9) 午　(a) wǔ　(b) hǔ

(10) 比　(a) bǐ　(b) bě

(11) 点　(a) diǎng　(b) diǎn

(12) 快　(a) kuài　(b) kuì

3 🔊 Read aloud.

zǎo shang	shàng wǔ	zhōng wǔ	xià wǔ	wǎn shang
(1) 早上	上午	中午	下午	晚上

shàng ge yuè	zhè ge yuè	xià ge yuè
(2) 上个月	这个月	下个月

shàng ge xīng qī	zhè ge xīng qī	xià ge xīng qī
(3) 上个星期	这个星期	下个星期

zuó tiān	jīn tiān	míng tiān	hòu tiān
(4) 昨天	今天	明天	后天

qù nián	jīn nián	míng nián	hòu nián
(5) 去年	今年	明年	后年

4 Say the time in Chinese.

Example

14:20

xià wǔ liǎng diǎn èr shí fēn
下午两点二十分

(1) 5:15

(2) 9:30

(3) 16:45

(4) 20:05

(5) 6:10

(6) 15:20

(7) 10:55

(8) 8:23

(9) 16:15

(10) 19:30

5 CD T57 Listen to the recording. Write down the departure time.

Example

qù běi jīng de huǒ chē   kāi
去北京的火车 13:10 开。

Destination	Departure Time
běi jīng (1) 北京	13:10
shàng hǎi (2) 上海	
xiāng gǎng (3) 香港	
xī ān (4) 西安	
nán jīng (5) 南京	

NOTE

bǐ
"比" is used to compare two noun

phrases or verb phrases.

tā bǐ wǒ gāo
(a) 他比我高。

He is taller than me.

tā de tóu fa bǐ wǒ de tóu fa cháng
(b) 她的头发比我的(头发)长。

Her hair is longer than mine.

zhè ge xué xiào bǐ nà ge xué xiào dà
(c) 这个学校比那个学校大。

This school is bigger than that school.

qí chē bǐ zǒu lù kuài
(d) 骑车比走路快。

Cycling is faster than walking.

6 Translation.

bà ba bǐ gē ge gāo
(1) 爸爸比哥哥高。

wǒ de xué xiào bǐ tā de xué xiào dà
(2) 我的学校比他的学校大。

dì tiě bǐ chuán kuài
(3) 地铁比船快。

diàn chē bǐ qì chē màn
(4) 电车比汽车慢。

zhōng guó bǐ rì běn dà
(5) 中国比日本大。

tā de biǎo bǐ wǒ de biǎo hǎo kàn
(6) 她的表比我的表好看。

7 Make two more groups of comparative sentences.

Example

wǒ bǐ mèi mei gāo
我比妹妹高。

gē ge bǐ wǒ gèng gāo
哥哥比我更高。

bà ba zuì gāo le
爸爸最高了。

bà ba
爸爸

gē ge
哥哥

wǒ
我

mèi mei
妹妹

NOTE

gèng
"更" even more

zuì
"最" most

yīng guó bǐ rì běn dà
(a) 英国比日本大。

England is bigger than Japan.

fǎ guó bǐ yīng guó gèng dà
(b) 法国比英国更大。

France is even bigger than England.

měi guó zuì dà le
(c) 美国最大了。

America is the biggest.

1

qí mǎ
骑马

zuò fēi jī
坐飞机

qí zì xíng chē
骑自行车

zuò huǒ chē
坐火车

2

zǒu lù
走路

zuò diàn chē
坐电车

zuò chū zū chē
坐出租车

zuò huǒ chē
坐火车

8 Make new dialogues.

Example

qù shàng hǎi de huǒ chē
去 上 海 的 火 车

kāi
9:30 开

shàng huǒ chē
9:00 上 火 车

qù shàng hǎi de huǒ chē
A:去 上 海 的 火 车

jǐ diǎn kāi
几点开？

kāi
B: 9:30 开。

wǒ men jǐ diǎn kě yǐ
A:我 们 几 点 可 以

shàng huǒ chē
上 火 车？

jiǔ diǎn
B:九 点。

xiè xie
A:谢谢。

bú xiè
B:不 谢。

①

qù běi jīng de fēi jī
去 北 京 的 飞 机

kāi
12:30 开

shàng fēi jī
11:45 上 飞 机

②

qù xiāng gǎng de chuán
去 香 港 的 船

kāi
17:13 开

shàng chuán
16:40 上 船

天天练
Speaking Practice

Answer the questions.

jīn tiān xīng qī jǐ
(1) 今 天 星 期 几？

jīn tiān jǐ hào
(2) 今 天 几 号？

zuó tiān xīng qī jǐ
(3) 昨 天 星 期 几？

zuó tiān jǐ hào
(4) 昨 天 几 号？

míng tiān xīng qī jǐ
(5) 明 天 星 期 几？

míng tiān jǐ hào
(6) 明 天 几 号？

9 Answer the questions according to the pictures.

Example

tā shì xué sheng
他是学生。

tā shì xué sheng hái shi
他是学生还是
lǎo shī
老师？

1

tā shì mì shū hái shi
她是秘书还是
hù shi
护士？

3

tā shì lǜ shī hái shi
她是律师还是
yá yī
牙医？

2

fēi jī kuài hái shi chuán kuài
飞机快还是船快？

4

tā shì rì běn rén hái shi
她是日本人还是
zhōng guó rén
中国人？

10 Answer the following questions.

nǐ jīn nián duō dà le
(1) 你今年多大了？

nǐ jīn nián shàng jǐ nián jí
(2) 你今年上几年级？

nǐ chū shēng zài nǎr
(3) 你出生在哪儿？

nǐ zài nǎr zhǎng dà
(4) 你在哪儿长大？

nǐ měi tiān zǎo shang jǐ diǎn shàng xué
(5) 你每天早上几点上学？

nǐ zěn me shàng xué
(6) 你怎么上学？

nǐ de biǎo xiàn zài jǐ diǎn le
(7) 你的表现在几点了？

nǐ huì qí zì xíng chē ma
(8) 你会骑自行车吗？

nǐ huì huà zhōng guó huà ma
(9) 你会画中国画吗？

nǐ huì xiě máo bǐ zì ma
(10) 你会写毛笔字吗？

11 True or false?

xiǎo míng
小 明

wǔ suì
五 岁

dà lì
大 力

shí èr suì
十 二 岁

dà lì de tóu fa bǐ xiǎo míng de cháng
(T) (1) 大力的头发比小明的长。

xiǎo míng bǐ dà lì gāo
( ) (2) 小明比大力高。

xiǎo míng de shǒu bǐ dà lì de xiǎo
( ) (3) 小明的手比大力的小。

dà lì de bí zi bǐ xiǎo míng de gāo
( ) (4) 大力的鼻子比小明的高。

dà lì bǐ xiǎo míng hǎo kàn
( ) (5) 大力比小明好看。

xiǎo míng bǐ dà lì xiǎo qī suì
( ) (6) 小明比大力小七岁。

12 Make new dialogues according to the timetable below.

	Departure	Arrival
shàng hǎi běi jīng (1) 上 海 → 北 京	8:05	10:45
běi jīng xī ān (2) 北 京 → 西 安	9:55	13:50
shàng hǎi dōng jīng (3) 上 海 → 东 京	11:45	14:55
běi jīng xiāng gǎng (4) 北 京 → 香 港	19:37	22:20

Example

cóng shàng hǎi dào běi jīng de
A: 从 上 海 到 北 京 的
fēi jī jǐ diǎn kāi
飞 机 几 点 开?

zǎo shang bā diǎn líng wǔ fēn kāi
B: 早 上 八 点 零 五 分 开。

jǐ diǎn dào běi jīng
A: 几 点 到 北 京?

shàng wǔ shí diǎn sān kè
B: 上 午 十 点 三 刻。

13 🔊 Read aloud.

ou   uo

(1) dōu   duō   (4) ōuzhōu   duòluò
(2) gòu   guò   (5) gòuwù   guójiā
(3) zhōu   zhuō   (6) dòufu   bāokuò